Enrique Sanz Bascuñana

AROMATERAPIA

El poder sanador de los aromas naturales

HISPANO
EUROPEA

Introducción 4

Las bases de la aromaterapia 6

Los aceites esenciales y
   los aceites vegetales 8
Los sistemas de extracción 9
Propiedades de los aceites esenciales 11
La importancia de la calidad y la pureza 13
Precauciones, mantenimiento
   y seguridad 16

Técnicas de aromaterapia 18

Forma de preparación y dosificación 20
Preparación de aceites
   esenciales para el masaje 22
Cuidados del cutis con
   aceites esenciales 24

El botiquín aromático 26

Siete aceites esenciales básicos 28
Aceites vegetales básicos
   y sus propiedades 32

Otros complementos necesarios 38
Ficha técnica de los aceites esenciales 42
Abeto balsámico 43
Ajedrea 43
Árbol del té 44
Azahar/Neroli 44
Bergamota 45
Cajeput 45
Cardamomo 45
Canela (corteza) 46
Cedro Atlas 46
Cedro Virginia 47
Cilantro/Coriandro 47
Ciprés 47
Enebro (bayas) 48
Espliego 48
Eucalipto 48
Eucalipto radiata 49
Geranio chino 49
Incienso/Olíbano 49
Inmortal/Siempreviva 50
Jara/Cistus/Ciste 50
Jengibre 50
Lavanda 51
Lemongrass 51

Lima	52	Tomillo	63
Limón	52	Vetiver	64
Mandarina	53	Ylang-ylang extra	64
Manzanilla romana	53	Zanahoria (semillas)	65
Mejorana dulce/francesa	54		
Mejorana española	54	**Tratamientos**	**66**
Menta piperita	55		
Mirra	55	Tratamientos para problemas	
Mirto	56	de la piel	**68**
Naranja dulce	56	Tratamientos del aparato	
Nardo índico	56	respiratorio y ORL	**81**
Niaulí	57	Tratamientos para problemas	
Orégano	57	circulatorios	**86**
Pachulí	58	Tratamientos musculares	
Palmarrosa	58	y articulares	**89**
Petit-grain naranjo	58	Tratamientos para problemas	
Pimienta negra	59	menstruales y ginecológicos	**91**
Pino silvestre	59		
Pomelo	60	Para terminar	**93**
Romero	60	Apéndices	
Rosa de Damasco	61	Índice de aceites	**94**
Sándalo blanco/Sándalo hindú	62	Direcciones de interés	**95**
Salvia española	62	Créditos	**96**
Salvia oficinal	62		
Salvia romana	63		

Introducción

Este libro pretende ser una guía útil para disfrutar y aplicar la aromaterapia en casa, huyendo de las tonterías y de banalidades que suelen salpicarla. Eso lo dejamos para los charlatanes del sector que venden humo a precio de oro. Se basa en mi experiencia y conocimientos en el tema de los últimos 20 años de mi vida, así como en la experiencia y conocimientos de todas las personas que aplican la aromaterapia en el mundo y de quienes todos aprendemos. No me considero nadie especial ni por encima de otros autores y aromaterapeutas, todos bebemos de los conocimientos propios y de los demás, así que si olvido en algún momento alguna cita, pido disculpas por anticipado, y ofrendo este libro a la divulgación de la aromaterapia seria en idioma castellano, yo solo soy un vehículo sin importancia.

Por supuesto, no pretende ni sustituir ni desplazar ni tratamientos médicos ni ningún tipo de terapia que cualquier persona necesite, simplemente se plantean sugerencias para hacer la vida más agradable y descubrir el potencial que estos extractos vegetales nos ofrecen. Tampoco es un libro excesivamente técnico, sino una obra divulgativa.

Se hace hincapié en los posibles problemas que los aceites esenciales pueden ocasionar por su mal uso, sobre todo, por evitar disgustos a quienes los aplican y a quienes escribimos y publicamos esto. Este libro va dirigido a personas responsables y adultas que se hacen cargo de sus vidas siendo más autónomas en todas sus decisiones, y que no van de «víctimas» por la vida.

La aromaterapia no es algo mágico ni sobrenatural, hoy en día tiene fundamentos científicos y médicos muy sólidos, así que, por favor, no emplee estos conocimientos en ese sentido porque suelen desvirtuarse potencialidades que pueden ser muy útiles para la gente. Eso no quita que tanto el mundo vegetal como el de la aromaterapia, estén llenos de sutilidades, belleza y poesía; por favor, trabajemos a favor de ello y demos un paso adelante en la divulgación de esta bonita forma de trabajo, que llegue a muchas personas, y que llegue bien. Simplemente, si Ud. no es médico, no actúe como médico; pueden hacerse auténticas maravillas sin ingerir aceites esenciales. Las fórmulas y tratamientos buscan un equilibrio entre efectividad, inocuidad y facilidad de elaboración. Están probadas y son eficaces, el grado en ocasiones depende de la persona (y mucho). Los resultados solo son posibles (en porcentaje alto) empleando aceites esenciales y vegetales de calidad. Por suerte, hay varias empresas en todo el mundo que los comercializan. Todavía no conozco ninguna que tenga la reputación unánime de ser «la mejor del mundo». Creo que con eso lo digo todo con respecto a muchas marcas que van a intentar engañarles.

Espero no ofender a nadie, y si lo hago, pido disculpas públicamente, y asumo mis posibles errores, que los habrá. Agradeceré cualquier crítica constructiva siempre que venga desde el conocimiento y la experiencia en el tema, no me interesa entrar en polémicas estériles con nadie. Que disfruten de la aromaterapia con salud y que Dios les bendiga.

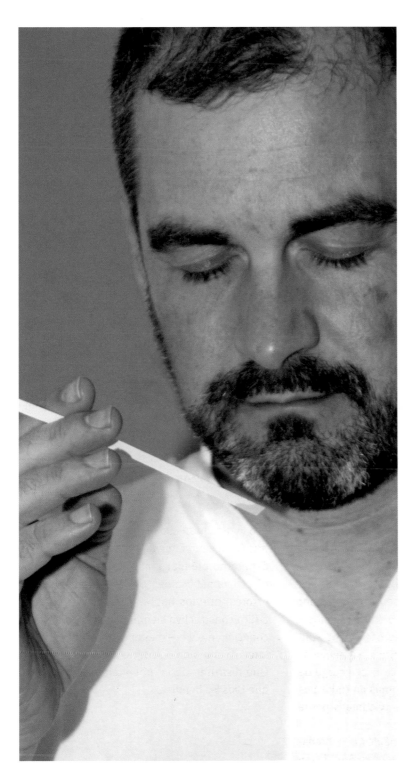

*Gracias a la luz,
fuente de todo
en este Universo.*

*Dedico este libro
a mi hijo Arturo,
con todo mi amor.*

LAS BASES DE LA AROMATERAPIA

Los aceites esenciales
  y los aceites vegetales 8
Los sistemas de extracción 9
Propiedades de los aceites esenciales 11
La importancia de la calidad y pureza 13
Precauciones, mantenimiento
  y seguridad 16

Los aceites esenciales y los aceites vegetales

La aromaterapia es una rama de la Fitoterapia (método de empleo para usos curativos de las plantas, ancestral y presente en todas las culturas humanas del planeta) especializada en el uso de aceites esenciales. Los aceites esenciales son uno de los múltiples extractos posibles de una planta. Sin embargo, por sus especiales características (potencia y aroma), tienen una manera propia de aplicarse.

Los tratamientos con aromaterapia abarcan todas las dimensiones del ser humano, desde las físicas a las sutiles y, en general, buscan el bienestar y el equilibrio de quienes los usan. Pueden emplearse desde en uso médico (Medicina Aromática), que no es el enfoque de este libro, a usos totalmente caseros, pasando por aplicaciones profesionales (estética, masaje, terapias naturales, psicoaromaterapia, etc.) e incluso usos rituales, religiosos o espirituales.

El enfoque de esta obra pretende ser muy práctico, dirigido a todo tipo de público y sin prácticas que puedan ocasionar daños o lesiones a los lectores si observan unos mínimos requisitos de cuidado y seguridad. Para uso profesional, y especialmente, para uso médico por vía interna, hace falta una capacitación y experiencia adecuadas, por lo que en varias ocasiones a lo largo del libro haré mención a los posibles riesgos que implica una aplicación inadecuada de aceites esenciales (como casi cualquier otra cosa, por cierto, en la vida).

Los aceites esenciales son, en aromaterapia, el vector más importante a tener en cuenta en nuestras aplicaciones, pero también es conveniente tener en cuenta la importancia y beneficios del uso de unos amigos que suelen acompañarles en sus incursiones en el organismo humano: los aceites vegetales. Los aceites vegetales, además de sus excelentes propiedades como alimento, son muy buenos compañeros de viaje de los aceites esenciales, porque sirven para hacer menos agresivos aquellos aceites esenciales que en estado puro pueden irritar la piel, porque son excelente base para las maniobras de masaje que suelen acompañar muchos tratamientos y porque, en general, ayudan y aportan infinidad de beneficios a la piel que los recibe. Desde aquí también haré hincapié en la ventaja que supone emplear aceites vegetales como base frente a cremas o aceites minerales, para el que da el masaje y para el que lo recibe también.

Flor de almendro (para elaborar aceite vegetal)

Los sistemas de extracción

Aunque a veces parezca superfluo, secundario o poco importante, hay que tener unas mínimas nociones de las formas posibles de extracción de estos tesoros vegetales, porque ello puede determinar en muchas ocasiones si es aplicable o no a lo que estamos buscando o necesitando, y porque nos permite conocer más qué cosa estamos poniendo sobre nuestro organismo.

Para extraer de las plantas aceites esenciales, el principal sistema empleado actualmente es la DESTILACIÓN AL VAPOR DE AGUA. Es un sistema muy antiguo, recuperado por los árabes sobre el año 1000 de nuestra era, que consiste en poner en contacto el tejido vegetal a extraer dentro de un alambique o caldera de extracción. Allí, sometido al efecto del vapor de agua, las glándulas que contienen la esencia se rompen y el vapor la arrastra (la esencia) hacia el exterior.

Un serpentín refrigera el vapor (serpentín de refrigeración), lo condensa (pasa de vapor a líquido) y puede ser recogido posteriormente. El producto resultante se presenta en dos fases: acuosa y oleosa. La fase acuosa contiene el agua empleada y los principios de la planta hidrosolubles (solubles en agua). A este producto se le llama tradicionalmente agua destilada (p. ej. agua destilada de rosas o agua de rosas), si bien en el ámbito profesional de la aromaterapia se conoce como HIDROLATO. Los hidrolatos también tienen interesantes propiedades (cosméticas, fitoterapéuticas, dietéticas), son como una especie de infusión de la planta.

Por otro lado, como decíamos, tenemos la parte liposoluble (soluble en grasas o lípidos), que corresponde al ACEITE ESENCIAL que andábamos buscando. Ambas fases no se mezclan entre sí porque tienen densidades distintas (aceite y agua), por lo tanto, el aceite esencial aparece flotando (salvo en los pocos casos en que pesa más que el agua) y se puede separar del hidrolato con facilidad.

El otro sistema de extracción, minoritario porque solo nos sirve para los aceites esenciales de cáscaras de los cítricos, es la EXPRESIÓN. Resulta que en el pericarpio de los cítricos (naranjas, limones, mandarinas, etc.), hay una abundante cantidad de esencias, como puede observarse al pelar la cáscara de cualquier cítrico y observar como quedan nuestras manos impregnadas de pequeñas gotas de aceite esencial. La forma de extraer esta esencia es entonces, no la destilación, sino la expresión. Actualmente, la maquinaria de elaboración de zumos puede procesar las cáscaras de los cítricos para extraer las esencias, siendo lo más parecido a los antiguos sistemas de expresión manual que actual-

Alambique

mente resultarían totalmente antieconómicos por la gran cantidad de mano de obra necesaria para ello.

Muchas personas no lo saben, pero hay aceites esenciales que no pueden obtenerse por destilación ni por expresión, por ejemplo, los de flores. Actualmente no podemos encontrar aceite esencial de jazmín, por ejemplo, natural, por la sencilla razón de que los finos pétalos no resisten la destilación, se queman. Y por supuesto, no se exprimen... ¿Entonces no se puede usar el jazmín natural en forma de extracto aromático? Sí, pero no en forma de aceite esencial.

podemos encontrar de aquellos vegetales que no resisten destilación (básicamente pétalos de flores, como decía anteriormente).

Extracto oleoso de caléndula (en aceite)

Tintura de caléndula (en alcohol)

Hay otro tipo de extractos, los llamados ABSO-LUTOS, que provienen de la extracción industrial con disolventes orgánicos (tipo hexano o benceno), muy empleados en la industria de la perfumería (no recomendables en uso interno). Esos son los únicos productos de origen natural que

Los rendimientos medios de aceites esenciales de plantas aromáticas suelen estar entre los 100-150 kg de planta para obtener 1 kg de aceite esencial. Hay plantas como el *Eucaliptus globulus* que tienen un gran rendimiento (unos 30 kg de planta por kg de aceites esenciales) y otras que lo tienen muy pequeño (entre 4 y 12 toneladas de *Melissa officinalis* para obtener 1 kg de aceites esenciales). Las cifras siempre son orientativas y variables en función del contenido en aceites esenciales de esa cosecha en particular.

Propiedades de los aceites esenciales

Desde un enfoque moderno farmacológico, los aceites esenciales tienen decenas de propiedades. Cada aceite esencial puede contener también decenas y hasta centenares de componentes bioquímicos que los hacen más adecuados para unas aplicaciones u otras. Por ejemplo, uno de los aceites esenciales más seguros que empleamos en aromaterapia, la manzanilla alemana o manzanilla azul (*Matricaria chamomilla*) es muy rico en ésteres. Los ésteres son antiinflamatorios, fungicidas (anti-hongos) y cicatrizantes, pero también son calmantes y relajantes. Los aceites esenciales ricos en fenoles (como tomillo, orégano) tienen un efecto antibiótico y estimulante mental importante. Así podríamos hablar (y lo haremos a lo largo de la obra) de multitud de moléculas aromáticas contenidas en estas joyas naturales que nos ayudan a transitar mejor por el mundo. Pero lo más importante no es el porcentaje de dichos componentes, sino la gran variedad que contiene cada aceite esencial y las sinergias beneficiosas que se crean entre ellos.

Desde el punto de vista industrial y farmacológico, siempre se incide en aquellos componentes que aparecen en mayor porcentaje o que por su acción terapéutica (estudiados aisladamente) se consideran más importantes. Pero en muchas ocasiones (como no puede ser de otro modo, pues existe desconocimiento, aunque se pretenda, el investigador no es Dios y no lo conoce todo) hay componentes que se desechan o desprecian, pero están ahí por algo y para algo, y es lo que diferencia principalmente un aceite esencial puro, equilibrado, completo, de una esencia artificial o de un aceite esencial rectificado o modificado en el laboratorio por intereses comerciales.

Este ejemplo se puede ver muy claramente en algunos casos. El limoneno es una molécula aromática que podemos encontrar en varios aceites esenciales, por ejemplo, el de cáscara de limón o limón expresión. Si aislamos este componente químico y hacemos una prueba de irritación dérmica (pobre conejo...), veremos que es MUY IRRITANTE. Sin embargo, si usamos el aceite esencial de limón sobre la piel, veremos que no es irritante (salvo personas con sensibilidad especial, ojo, si lo aplicamos y nos exponemos al sol o rayos UVA, podemos sufrir una fotosensibilización, pero solo en estos casos).

¿Qué ha ocurrido aquí? Sencillamente, que el aceite esencial de limón está compuesto por decenas de componentes, no solo limoneno, y esa sinergia actúa en la práctica, ralentizando o suavizando el posible efecto irritante que tiene alguno de sus componentes aislados. Por ello no es extrapolable el efecto de uno de los componentes al efecto general de una mezcla, sin embargo, también a efectos prácticos, si una empresa elabora algún producto que contenga aceite esencial de limón, tendrá que declarar a partir de cierta cantidad en su composición la presencia de ALÉRGENOS (limoneno y otros), ya que el criterio reduccionista es el que se tiene en cuenta (se supone que todo esto se hace para garantizar la salud de los consumidores, pero curiosamente, cada vez hay más alergias en el mundo desarrollado. ¿No será por el exceso de productos químicos artificiales en nuestro entorno? Estamos rodeados de normativas y leyes estúpidas y restrictivas pero nuestros hijos pueden ir a la calle y atiborrarse de todo tipo de basuras legales y bien vistas por las «autoridades sanitarias», eso no es peligroso, claro, no se ha demostrado «científicamente» que lo sea.

Me acuerdo de que hasta hace pocos años tampoco se podía demostrar «científicamente» que el tabaco fuese cancerígeno, ahora sabemos todo el dinero que se invirtió para demostrar lo contrario. Dentro de unas décadas veremos las consecuencias del abuso de todo tipo de colorantes, conservantes, aromatizantes, modificadores del sabor y la textura con que están hechas las golosinas, refrescos, alimentos, etc., que tan a bien se pueden vender sin problemas en la actualidad, pero claro, cuidado con los aceites esenciales que contienen «alérgenos», son peligrosísimos para la salud de los consumidores.

Volviendo al efecto de los aceites esenciales, generalmente los tratamientos se realizan mediante masajes (diluyendo el aceite esencial en aceite vegetal), y en algunos casos se diluyen en agua para baños relajantes principalmente. Las pequeñas moléculas de los aceites esenciales pasan a través de la piel (folículos pilosos y las glándulas sudoríparas en menor grado) al torrente sanguíneo y la linfa, distribuyéndose por todo el organismo.

También son empleados muy abundantemente mediante inhalaciones y vaporizaciones, especialmente indicadas para problemas del aparato respiratorio y para uso en psicoaromaterapia. En este caso, los aceites esenciales una vez inhalados, llegan a los pulmones, desde donde se difunden a través de los pequeños sacos de aire en los capilares sanguíneos circundantes. Al llegar al torrente sanguíneo, los aceites esenciales pueden tener efectos farmacológicos en el cuerpo, aunque la cantidad absorbida es muy pequeña, tanto que la intoxicación o toxicidad por esta vía en dosis normales de uso es imposible, como ha demostrado científicamente el aromaterapeuta inglés Ron Guba.

Es muy interesante e importante el efecto que sobre la mente tienen los aceites esenciales. A esta parte de la aromaterapia la llamamos PSICOAROMATERAPIA y estudia el efecto emocional y psicológico beneficioso del uso de aceites esenciales por vía olfativa.

Cuando olemos un aceite esencial, sus moléculas aromáticas conectan con los receptores olfatorios que existen en la mucosa nasal. Están conectados con el sistema límbico, un área cerebral asociada a los instintos: memoria, aprendizaje, control de la agresividad y la sexualidad, patrones de sueño, etc.

Si el aroma es adecuado, el cerebro segrega neurotransmisores que pueden relajar o estimular el sistema nervioso. Esto hace de esta disciplina naciente en la aromaterapia un campo de gran futuro y esperanza para el bienestar humano.

La importancia de la calidad y la pureza

Como hemos expresado anteriormente, es extremadamente importante para obtener un buen resultado en los tratamientos y reducir los posibles efectos adversos de las sustancias químicas artificiales el uso de aceites esenciales naturales y puros al 100%.

Las diferencias de precio pueden observarse en función del rendimiento de cada planta, y esto hace que ciertos aceites esenciales sean muy «apetitosos» de adulterar. Unido a que el campo de los aceites esenciales requiere de cierta especialización, que hay muchos, y que hasta hace poco tiempo ha sido algo muy acotado exclusivamente a profesionales especialmente del mundo de la perfumería, solo nos falta la guinda de la que en mi país tenemos abundancia: la picaresca.

Una vez alguien que conocí, y que daba cursos de «Aromaterapia» los fines de semana en una importante ciudad española me comentaba, con asombro y admiración, que la gente se creía todo lo que contaba y que él «alucinaba» de lo poco que sabían sus alumnos. Me decía «en el reino de los ciegos, el tuerto es rey». Es patético pero es así. No es fácil encontrar empresas que suministren aceites esenciales con calidad suficiente para realizar una aromaterapia rigurosa. Eso no quiere decir que no las haya (gracias a Dios), sino que hay que tener cierto conocimiento del tema para que no te engañen fácilmente. Esto requiere de formación además de información y, por supuesto, de honestidad por parte de los proveedores. Poco a poco, y gracias a que las personas interesadas en este tema (minoría, por el momento), van sabiendo y exigiendo más cada día, van «desapareciendo» del «horizonte aromático» ibérico muchos sinvergüenzas y caraduras, así como apareciendo otros que creen que van a enriquecerse en este sector. Lo cierto es que si eres honesto, has de vender muchísimo para poder enriquecerte, y, hoy por hoy, con la cantidad pequeña de consumidores que hay, eso no es factible.

Pero ahora pongámonos en el caso de que tengamos un aceite esencial correcto y que cumple los parámetros básicos de uso en aromaterapia, que son desde mi punto de vista:

1 Pureza: Puro al 100%, sin dilución ni mezcla con otros.

2 Identificación botánica: Nombre botánico latino para evitar errores y accidentes por confundirlo con otra planta.

3 Parte de la planta de la que se obtiene: En el caso de plantas de las que se obtienen aceites esenciales de varios tejidos vegetales, de cuál de ellos (p. ej. canela corteza, canela hojas...).

4 Quimiotipo: En el caso de plantas que tienden a producir quimiotipos, señalar a cuál pertenece (p. ej. tomillo quimiotipo timol, tomillo quimiotipo linalol...).

5 Proceso de extracción correcto: A veces encontramos aceites esenciales «quemados» o mal destilados, eso es importante también para unos buenos resultados.

6 Posibilidad de tener documentación técnica y analítica de los aceites esenciales: Siempre y

cuando sepamos interpretarla, y sobre todo a niveles de aromaterapia médica, este factor es imprescindible para saber qué tenemos entre manos. En usos caseros no es imprescindible este tipo de datos porque no se saben interpretar y solo sirven para gastar tiempo y papel inútilmente.

Otro concepto que tenemos que tener muy claro, es que en el mundo se producen toneladas y toneladas de aceites esenciales de distintas plantas, cuyo comercio está destinado a diferentes industrias. Una gran cantidad de ellos se emplean como materias primas para aromas alimentarios, bebidas y tabacos. Otros van destinados a la industria de la perfumería y cosmética. También la industria de los productos de limpieza y ambientadores consume una gran cantidad de estas sustancias. Hasta las industrias de pinturas y barnices lo hacen, y por supuesto la industria farmacéutica también. El porcentaje de producción de aceites esenciales destinado a aromaterapia de calidad es ínfimo en comparación con el consumo de esas industrias, aunque afortunadamente, crece año a año. Esto tiene implicaciones muy importantes en el mundo de la aromaterapia, porque nuestros criterios de calidad son distintos a los suyos.

Básicamente a nosotros nos interesa:
> **Pureza.**
> **Buena identificación botánica y química** (quimiotipo si es necesario).

A ellos básicamente les interesa que:
> Los aromas **sean siempre iguales**, porque si no se pueden modificar mucho las características del producto y el consumidor está acostumbrado a que sea siempre igual. Por ello, estas empresas tienen que ESTANDARIZAR sus materias primas. Esto implica que cada lote de aceites

esenciales (que como materia prima natural varía según la cosecha) sea susceptible de manipulación para quitar o poner aquello que sobre o falte y cumplir el estándar.
> Que sean **lo más baratos posible:** Con lo cual, pueden entrar productos no necesariamente naturales, mezclas, etc., la naturalidad o integridad natural no es imprescindible.

El diálogo es difícil porque hablamos dos idiomas diferentes, mejor dicho, hablamos desde dos conceptos diferentes, por eso no se puede hacer una aromaterapia de calidad con los criterios industriales de otros campos.
En el caso de la aromaterapia de calidad, sabemos y asumimos que cada cosecha es diferente y que los productos elaborados con aceites esenciales puros pueden tener diferencias de aroma, color, densidad, etc., porque les pasa lo mismo que ocurre con los vinos, pueden variar más o menos en función de la cosecha, y nadie se espanta por ello. Hay que darse cuenta de esto para poder cambiar la mentalidad consumista irracional y ciega que nos tiene acostumbrados a cosas alejadas de la naturaleza, y aplicarla especialmente en cuanto a materias primas de origen vegetal (aceites vegetales, esenciales, extractos, etc.).
La pregunta del millón: ¿Dónde comprar aceites esenciales de calidad? Ojalá aquí fuese tan fácil como en otros países, como Francia o Bélgica, donde se encuentran excelentes calidades de uso médico en farmacias, o Reino Unido, donde existen bastantes sellos que ofrecen buenas calidades de aceites esenciales a buenos precios también y que pueden conseguirse en muchos tipos de establecimientos. Por desgracia, en estos momentos, no puedo dar una respuesta tan general en este país, pero espero que con los cambios que se produzcan cuando más personas se interesen por esta terapia y más personas se formen adecuadamente, a medio plazo,

puedan encontrarse materias primas de calidad más fácilmente y a precios razonables. Invito a las personas interesadas a ponerse en contacto conmigo en mi correo electrónico (ver direcciones al final), donde gustosamente podré orientarles sobre las que conozca con garantías en cada momento.

Para terminar, es importante saber que hay más demanda que oferta de algunas materias primas aromáticas, esto hace que sean más fácilmente adulterables, y los productos químicos empleados sí suelen producir problemas, desde alergias y dolores de cabeza a irritaciones de mayor o menor grado.

Es muy importante no emplear nunca las esencias que se venden a muy bajo precio (o muy alto, según el lugar) en el mercado para quemadores sobre la piel AUNQUE LOS VENDEDORES NOS ANIMEN A ELLO, muchas veces no saben ni lo que dicen, pero necesitan vender como sea. Este tipo de productos no están formulados para ponerse en contacto con la piel. Están hechos con materias aromáticas muy agresivas y baratas, por lo que tampoco son nada recomendables para ser usadas como ambientadores.

Ahora sabemos que las moléculas aromáticas tienen un efecto sobre nuestro organismo. Penetran en el torrente sanguíneo o afectan a áreas del cerebro.

Reflexionemos un poco: ¿respirar es importante o no? ¿Cuánto tiempo puedes estar sin respirar? ¿Crees que comer o beber es lo más importante? ¿Cuánto tiempo puedes estar sin comer y cuánto sin beber? Si no te comerías ni beberías una porquería química como esa ¿por qué la respiras? He observado este tipo de productos súper agresivos en ambientadores especialmente, y sobre todo en esas cosas diabólicas impregnadas de aroma que a veces se ponen en los coches, son la puerta de entrada perfecta a las jaquecas y dolores de cabeza.

Cuando se empieza a trabajar y a disfrutar de los aceites esenciales, el olfato se va refinando y poco a poco se aleja de aromas agresivos que nos perjudican de forma natural.

Precauciones, mantenimiento y seguridad

1 Es muy importante mantenerlos alejados de los niños. Siempre bien cerrados y alejados de su alcance.
Cuidado con las superficies donde se coloquen o puedan salpicar (plásticos, barnices, etc.).

2 No ingerirlos sin asesoramiento médico o de profesionales cualificados (aromatólogos, que no abundan en nuestro país). Los pocos accidentes mortales que se han producido en el mundo por ingestión de aceites esenciales han sido de niños pequeños que han tomado ciertas cantidades importantes para su peso por accidente. **En general, no usar aceites esenciales sin tener información sobre ellos.**
Hay «esencias» aptas para uso interno (de uso alimentario) que son completamente artificiales, así que esa etiqueta no es una buena garantía de uso aromaterapéutico.

3 Generalmente se recomienda no emplearlos puros sobre la piel, a no ser que se tenga cierto conocimiento más profundo, se diluyen en aceite vegetal.

4 Hay que tener especial cuidado en no aplicar aceites esenciales puros en los OJOS, pueden causar lesiones gravísimas. En caso de caída accidental, hay que limpiarlos INMEDIATAMENTE con ACEITE VEGETAL, para que se mezcle, absorba y limpie el ojo. NO EMPLEAR AGUA, ya que extenderá el aceite porque flota sobre él. Una vez que se ha retirado todo el aceite esencial con abundante aceite vegetal (sirve cualquiera como los de cocina: oliva, girasol, etc.), entonces se puede refrescar la zona con agua.

5 Otras zonas especialmente sensibles, donde se recomienda **no emplear sin diluir nunca**, son: OÍDOS, AXILAS, CUTIS, CANAL AURICULAR, PLIEGUE INGUINAL, GENITALES, ANO.
Los aceites esenciales de cítricos, especialmente el de bergamota, por su alto contenido en furocumarinas, son FOTOSENSIBILIZANTES si nos los aplicamos y posteriormente recibimos radiación solar o rayos UVA en la zona. Esta fotosensibilización puede ir desde simples molestias y picores a quemaduras, pasando por pigmentación.

6 A veces, usar prolongadamente un aceite esencial puede producir sensibilización. En la medicina aromática francesa se dejan «ventanas terapéuticas» de una semana por cada 3 de tratamiento para evitar efectos secundarios indeseables. No abuses de nada, aunque sea natural.

7 Algunos aceites esenciales son DERMOCÁUSTICOS (queman la piel) si se usan directamente sin diluir. Esto es especialmente observable en los **tomillos** ricos en fenoles, los **oréganos**, la **artemisa** y la **canela corteza** (por su alto contenido en aldehído cinámico) y el **clavo especia**. Esto se evita diluyéndolos adecuadamente. También pueden tenerse experiencias desagradables con ciertos aceites esenciales usados en baños con agua caliente sin diluir (cítricos). Ver siempre las contraindicaciones en la información sobre aceites esenciales.

8 Las personas con piel sensible tienen que tener especial cuidado con lo que aplican en la

piel, y desde luego, evitar aplicar aceites esenciales puros. Pueden hacer una prueba previa (*pach test*), aplicando en un poco de gasa de algodón una dilución del aceite esencial a emplear sobre la piel, pegándola con un esparadrapo y observando la reacción en las próximas 24 h. De no producirse reacción adversa, es muy probable que la aplicación del aceite esencial no sea problemática para esa persona.

9 Las personas con problemas respiratorios, como asma, rinitis crónica y alergias y eczemas, tienen que tener especial precaución con el uso casero de aceites esenciales.
En el caso de los problemas respiratorios, la difusión de ciertos aceites esenciales podría producir crisis, y en el caso de los problemas cutáneos, la aplicación en aceites o baños, también. Pueden hacerse pruebas previas con precaución, pero en cualquier caso sería preciso un proceso terapéutico de mayor calado.

10 Se recomienda a personas epilépticas no emplear aceites esenciales de hisopo, hinojo, romero y salvia oficinal por precaución.

11 En el embarazo, hay aceites esenciales contraindicados (depende de la escuela de aromaterapia y de la cualificación del aromaterapeuta). En general, se consideran como muy seguros los siguientes: manzanilla romana, manzanilla alemana, rosa damascena, azahar (también llamado neroli), mandarina, lavanda. No existen datos objetivos que demuestren que el masaje o los baños con aceites esenciales produzcan abortos o malformaciones ni daños a las embarazadas. Desde mi punto de vista, resulta paradójico que no se pongan en el mismo saco cosméticos, perfumes, detergentes, que pueden ser mucho más perjudiciales para la salud ya que también contienen sustancias aromáticas artificiales y otros productos químicos, y se haga tanto hincapié en

ADVERTENCIA

Los aceites esenciales son productos muy volátiles. Precaución si hay fuego cerca (quemadores, velas, etc.).
Si están envasados en botellas con tapón cuentagotas de goma, con el tiempo se romperán, y algunos en muy corto espacio de tiempo, así que se han de moverse o viajar con ellos, lo mejor es cambiar el tipo de cierre por otro que no se derramen por el camino.

los posibles riesgos que nunca se han dado con los aceites esenciales.
Para un **perfecto mantenimiento** de nuestros aceites deberemos:

Mantenerlos en lugares frescos y oscuros, sobre todo es importante protegerlos de la luz solar. Envasarlos en botellas de vidrio o aluminio. El plástico se deforma y puede llegar a romperse con su contacto. No es necesario mantenerlos en refrigerador, a no ser que vivamos en un lugar muy cálido.
Los aceites vegetales sí son fácilmente oxidables (enranciables) por lo que les conviene el frío y tampoco les beneficia la luz. Almacenar en envases pequeños, en función de las necesidades reales de uso e ir renovándolos, si se reenvasa, intentar dejar el mínimo espacio posible de aire, porque por ahí es por donde empiezan a oxidarse. Almacenar preferentemente en vidrio.

TÉCNICAS DE AROMATERAPIA

Formas de preparación y dosificación 20
Preparación de aceites
   esenciales para el masaje 22
Cuidados del cutis
   con aceites esenciales................... 24

Formas de preparación y dosificación

Existen dos corrientes principales en la actualidad de practicar la aromaterapia. La escuela francesa (médica) y la escuela anglosajona (masaje, estética, terapias alternativas), que tienen visiones distintas sobre cómo aplicar los aceites esenciales y las dosificaciones. La que mejor encaja en un texto de estas características, dirigido a todo tipo de públicos, es el enfoque de la escuela anglosajona.

Aceites de masaje

> Adultos: 2% (unas 5 gotas de aceite esencial en 10 ml de mezcla).
> Niños de más de 5 años: Entre el 0, 5 y el 1,5% (de 2 a 7 gotas en 25 ml de mezcla).
> Niños de menos de 5 años: Una gota en 25 ml de mezcla.
> Bebés y ancianos: A criterio del profesional.

Cremas o ungüentos

> De 10 a 20 gotas en 30 g de crema base o ungüento base.
> A mayor intensidad del problema a tratar, mayor cantidad de aceites esenciales a emplear.

Vaporizadores/Difusores

Los difusores que emplean velas o quemadores, necesitan mayor cantidad que los aparatos eléctricos, que tienen mejor rendimiento. Entre 6 y 15 gotas puede ser una cantidad aceptable. Los aparatos eléctricos tienen sus propias especificaciones según el fabricante.

Vapores, vahos

> De 2 a 4 gotas, en un recipiente con 1,5-2 litros de agua caliente.
> Inhalar unos 3 minutos tapando la cabeza con una toalla unas 3 veces al día. **Precaución en el caso de asmáticos, esta aplicación puede producir un ataque**.

Si se usan los vapores para problemas cutáneos o limpiezas faciales, tener en cuenta que intensifica el estado de la cuperosis (venillas rotas) en este tipo de personas.

Inhalación en seco

> De 1 a 4 gotas en un pañuelo de algodón o papel.

Compresas

> De 3 a 5 gotas en medio litro de agua (fría o caliente, según el tipo de compresa).
> Aplicar 5 minutos. Repetir 2-4 veces.

Baños

> Adultos: 4-8 gotas.
> Niños 10-13 años: 3-5 gotas.
> Niños 7-9 años: 2-4 gotas.
> Niños 5-6 años: 2-3 gotas.
> Bebés y ancianos: A criterio del profesional.

Los aceites esenciales deben ser solubilizados en el agua. Para ello, puede emplearse leche en polvo entera (una cucharada, mezclar las gotas de aceites esenciales dentro) como forma natural y casera.

Preparación de aceites esenciales para el masaje

Es relativamente sencillo hacer preparaciones de aceites esenciales diluidos en aceites vegetales para conseguir buenos aceites para el masaje.

Solo necesitamos dos cosas, ambas de gran calidad: aceites esenciales puros y aceites vegetales puros.

El masaje es la manera en que más personas en el mundo aplican la aromaterapia, porque la piel es el órgano más seguro para ello.

Normalmente mezclamos el aceite o aceites esenciales en un aceite vegetal buscando que las propiedades de ambos sean adecuadas para el tratamiento que queremos realizar. Contrariamente a lo que piensan muchas personas, incluso profesionales, los aceites vegetales no son simplemente sustancias lubricantes, también tienen importantes efectos sobre la piel y la salud en general. Conviene conocerlos mínimamente (como haremos posteriormente) para trabajar las posibles sinergias con los aceites esenciales. Podemos emplear cualquier aceite vegetal de calidad: oliva, sésamo, aguacate, coco, girasol, pepita de uva, jojoba, rosa mosqueta, cacahuete, almendras, avellanas, etc.

Para mí está claro que para alimentación, no hay nada mejor que los aceites vegetales ecológicos, vírgenes y de primera presión en frío. Pero para el uso en el masaje mi experiencia es otra. Cada cual tiene que valorar según su experiencia, sin fanatismos.

Por ejemplo si tengo que elegir entre un aceite vegetal refinado (siempre que sea de calidad, claro) con un aroma suave o inapreciable y buena textura para el masaje, y un aceite virgen ecológico, denso y con olor intenso y desagradable (como puede pasar con algunos, p.ej. germen de trigo, algunos sésamos, ciertos oliva, etc.), mi opción será el primero sin dudarlo, ya que la mezcla aromática con los segundos suele ser mucho peor y la sensación con la que la persona sale del tratamiento puede ser muy desagradable (olor a fritura).

En cualquier tipo de tratamiento de aromaterapia, el factor OLOR es sumamente importante, así como la comodidad y bienestar de la persona que recibe el tratamiento. Hay que ser flexible y adaptarse a cada caso en particular y no ser «más papistas que el papa».

Las dosis clásicas son un 2% de aceites esenciales en preparados corporales y un 1% de aceites esenciales en preparados faciales.

¿Cómo se calcula el porcentaje? Muchas personas (incluso licenciados), tienen serios problemas para hacer un cálculo tan sencillo como este, según he observado en mis cursos. Si nos acordamos de nuestras clases de cálculo de la infancia, el tanto por ciento de algo significa que de cada cien partes de un total, ponemos «x» de algo en concreto. Entonces, un 2% quiere decir que de 100 partes de una mezcla, ponemos 2 partes de aceites esenciales.

"Sí, sí, pero yo quiero saber cuántas gotas tengo que poner»… creo que me han hecho esta pregunta miles de veces.

Veamos, ¿cuántas gotas en qué cantidad?

No es lo mismo un 2% en una cucharada de aceite que en un litro de aceite.

Tomemos siempre el volumen del preparado que queremos hacer (el volumen se mide en milili-

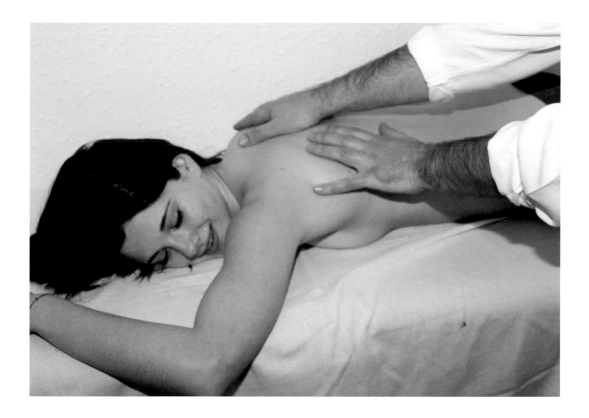

tros (ml) o en centímetros cúbicos (cm³) y ambos son equivalentes).

Es bueno acostumbrarse a hacer las cosas así. Si hacemos un preparado en una botellita de 20 ml, el 2% sería: 20×2:100 = 0,4 ml.

Si hacemos un preparado en una botella de 1 litro (1.000 ml), el 2% sería: 1000 × 2 : 100 = 20 ml.

Veinte mililitros se pueden medir bastante bien con probetas, vasos de precipitado o jarras graduadas, que pueden conseguirse en cualquier tienda de productos para laboratorio o encargarse en farmacias. Pero 0,4 ml son mucho más complicados de medir.

Podemos usar pipetas graduadas o jeringuillas pequeñas, pero realmente para un uso casero no es práctico.

Una fórmula muy sencilla de aplicar y memorizar es DIVIDIR EL VOLUMEN QUE QUEREMOS PREPARAR ENTRE 2.

Esto nos da una aproximación al 2% en aceites esenciales en nuestras mezclas en gotas. Por ejemplo, si hago un preparado de 20 ml y lo divido entre 2 , 20:2 = 10 gotas, esto me está dando de forma rápida y sencilla una aproximación real a la medida que obtendría con cualquiera de las herramientas antes citadas.

Se mezclan los aceites vegetales y esenciales y se agitan muy bien para que se entremezclen perfectamente, y ya tenemos nuestro preparado listo para ser usado.

¡Ánimo, sin miedo! ¡Esto es más sencillo en la práctica que en la teoría!

Cuidados del cutis con aceites esenciales

Hay diversas teorías sobre el uso de aceites esenciales sobre la piel. Una muy extendida es que la piel «se acostumbra» al uso reiterado de ellos y dejan de tener efecto o pueden causar efectos indeseables. Esto puede ser cierto en el caso de algunos aceites esenciales y algunos tipos de pieles, y ciertamente, como comenté anteriormente, en la medicina aromática los tratamientos siempre tienen un periodo de descanso para que el organismo pueda recuperarse o desechar posibles sustancias tóxicas. Es un ejercicio de responsabilidad hacia uno mismo y de consciencia, el no abusar de ningún tipo de sustancia, sea natural o no, sea ingerida o aplicada externamente.

Creo que es muy beneficioso realizarse uno sus propios preparados e ir cambiando en función de lo que nuestro organismo pide o necesita en cada momento. Admiro a las personas que son capaces de llevar durante años el mismo tipo de perfume o *eau de toilette* (bien, realmente no les admiro, quiero decir que me llaman mucho la atención), ya que a mí me resulta del todo imposible hacerlo en las pocas ocasiones que empleo este tipo de productos, pero me ocurre igual con los preparados de uso cotidiano en higiene y limpieza.

Siguiendo las instrucciones de este libro y, especialmente, recibiendo formación en aromaterapia, cualquier persona es capaz de realizarse sus propios preparados, efectivos, económicos y a su medida, infinitamente superiores a la mayor parte de productos comerciales, pero también es muy bueno escuchar al cuerpo y cambiar o dejar de usar cosas cuando sea necesario. En lo que no estoy de acuerdo es en el tema de que los aceites vegetales no puedan usarse como factor de protección, hidratación y nutrición, en sustitución de cremas y otros potingues, porque la piel se «acostumbre a ellos». ¡¡Bueno, pues déjele que se acostumbre a las cosas buenas que le hacen bien!!

Ciclos de tratamientos

Una vez preparado el producto según nuestro tipo de piel, se sugiere realizar uno de estos dos ciclos:

1 Aplicar el producto dos veces al día, dos días a la semana.

2 Aplicar el producto dos veces al día durante dos semanas y dejar cuatro semanas de intervalo hasta la próxima aplicación.

Estas son formas de trabajo de la escuela anglosajona muy seguras y eficaces, pero cada cual puede encontrar sus propios ritmos según sus necesidades y sensibilidad. Repetimos la idea de que estas informaciones son sugerencias, no verdades cerradas.

Formas de aplicar los tratamientos

Experimentar y descubrir las propias reacciones y necesidades.
Observar los tiempos que nuestro organismo indica.

Interrumpirlo si se sufren irritaciones o molestias. Continuarlo si así se siente.

Antes de aplicar el tratamiento, limpiar bien el rostro. Los jabones clásicos son muy alcalinos y no suelen ser lo más adecuado para la mayor parte de cutis. Es mejor limpiar con un producto de pH ligeramente ácido (5.5) o en el peor de los casos, de pH neutro. También pueden realizarse buenas limpiezas empleando un producto suave tipo Syndet (del estilo Dove, jabón sin jabón) con agua tibia.

Aplicar una fina capa del preparado de aromaterapia propio que hayamos escogido, inmediatamente después de la limpieza, cuando los poros están abiertos. Posteriormente, tras 30 minutos de espera, pueden aplicarse los tratamientos.

Mascarillas faciales

Una mascarilla semanal limpia los poros en profundidad y aclara la piel, retirando las capas muertas de la piel. Las mascarillas pueden hacerse con varias materias primas naturales, para uso casero tenemos dos que son económicas y fáciles de conseguir y emplear: el yogur y la miel. Aquí sí es importante que sean de origen ecológico y en el caso del yogur, de leche entera. Estos componentes son buenos para todo tipo de pieles, a no ser que la persona sea alérgica a alguno de ellos. La miel es un humectante maravilloso, y el ácido láctico del yogur ayuda a restablecer el pH ácido de la piel, extrayendo también puntos negros.

Pueden hacerse mascarillas mezclando a partes iguales ambas sustancias. Normalmente con 2 o 3 cucharaditas de cada es suficiente por tratamiento. Entremezclarlos bien y aplicar de forma generosa en el cuello y la cara durante 10-15 minutos. Enjuagar posteriormente con agua tibia.

Peeling

El *peeling* en pieles secas es excelente para mejorar el drenaje linfático y eliminar toxinas. Tam-

bién da a la piel claridad y luminosidad al retirar las capas de células muertas acumuladas.

El *peeling* se elabora con un aceite vegetal y algún tipo de sustancia abrasiva que retire por fricción las capas de células muertas.

Como estamos en un entorno casero, podemos hacer una mezcla de aceite de jojoba con sal marina fina. Debemos hacer una pasta más bien líquida, tomaremos una pequeña cantidad y la aplicaremos sobre el rostro en pequeños círculos suavemente. Una vez acabado el proceso, aclararemos con agua tibia.

Este tipo de tratamiento puede hacerse una vez al mes. También puede aplicarse en el resto del cuerpo.

Está contraindicado en zonas con eczema, psoriasis, varices y otros tipos de complicaciones cutáneas, hay que pensar que es una pequeña agresión, ya que usamos abrasivos que suponen una erosión cutánea.

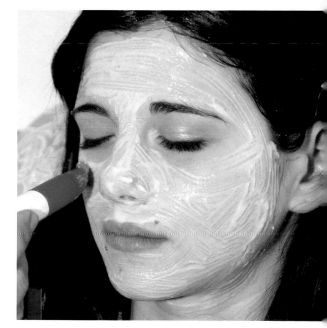

Aplicación de mascarilla facial

EL BOTIQUÍN AROMÁTICO

Siete aceites esenciales básicos 28
Aceites vegetales básicos
 y sus propiedades 32
Otros complementos necesarios 38
Ficha técnica de los aceites esenciales 42

Siete aceites esenciales básicos

En casa podemos tener siempre disponible un pequeño botiquín aromático para las típicas problemáticas del hogar. No es necesario tener muchos, pero sí es importante cuáles de ellos elegimos y, sobre todo, su pureza, sin dejar nunca de lado la INFORMACIÓN mínima sobre sus cualidades, efectos, indicaciones y contraindicaciones. De este modo, podremos disfrutar de todas sus ventajas disolviendo los posibles problemas derivados del mal uso.

Según *La Biblia de la Aromaterapia* (así conocemos el texto *L´Aromathérapie Exactament*, de P. Franchomme y D. Pénoël, fuente de sabiduría e inspiración para todos los aromaterapeutas del mundo –aunque a algunos les sepa mal reconocerlo–), con 7 aceites esenciales podemos cubrir prácticamente la mayor parte de «urgencias domésticas» con que podemos encontrarnos. A mí me parece una muy buena opción, para comenzar, y después cada uno de nosotros, con su práctica y las afinidades aromáticas personales, puede ir ampliándolo, del mismo modo que puede no usar alguno de ellos si así lo considera. Siempre soy partidario de comenzar desde lo más sencillo a lo más complejo en aromaterapia, y no soy muy amigo de preparados con muchos componentes, de igual modo que tampoco considero necesario tener un arsenal de aceites esenciales y gastarse mucho dinero si uno después no los va a usar. De modo que pasemos a examinar esta propuesta de la medicina aromática francesa.

Aceite esencial de *Eucalyptus citriodora*

Este es un curioso espécimen entre los más de 300 tipos de eucaliptos existentes, ya que no huele a eucalipto sino, como su especie indica, tiene aroma cítrico. Su composición química lo hace muy buen antiinflamatorio, y es además de precio bastante económico (por lo que es muy usado en las industrias de los insecticidas y limpiadores domésticos como parte de las formulaciones de aromas). En usos domésticos podemos emplearlo directamente sobre las picaduras de insectos (mosquitos, avispas, abejas, pulgas, etc.), lo que reduce rápidamente el picor y la inflamación.

También podemos emplearlo en difusión (si nos gusta, claro) por su poder antiséptico del aire. No obstante, conviene recordar que en este sentido, el más potente es el aceite esencial de pomelo (*Citrus paradisii*).

Aceite esencial de eucalipto radiata (*Eucalyptus radiata* ssp. *radiata*)

Aunque muchas personas solo conocen como eucalipto el aceite esencial de *Eucalyptus globulus*, debido al excesivo efecto broncodilatador que posee, es más conveniente utilizar este otro tipo de eucalipto, el radiata, de efecto muy potente pero mucho más seguro. Es sobre todo antiinfeccioso y antiviral, por lo que en aromaterapia lo consideramos como uno de los mejores ANTIGRIPALES que se conocen. En este sentido trabaja muy bien solo o acompañado a partes iguales con el aceite esencial de Ravintsara (*Cinnamomum camphora*). Se aplica en fricciones por todo el cuerpo, especialmente en el tórax, espalda, costados e incluso brazos y piernas. También su aplicación en las plantas de los pies (donde se encuentran las zonas reflejas de todo el organismo) es muy beneficiosa. Pueden aplicarse tranquilamente entre 15 y 30 gotas. En un adulto en estado puro (salvo si la persona es alérgica o sensible a alguno de los componentes, se entiende en personas normales), y en casos de sensibilidad, puede diluirse como hemos comentado anteriormente en aceites vegetales. Es excelente también en los comienzos de infecciones respiratorias en general.

En caso de dolores de oído, puede hacerse una dilución al 5% y aplicarse en masaje alrededor del oído externamente. Un médico podría hacer aplicaciones internas, pero en caso de aplicaciones caseras, corremos el riesgo de empeorar situaciones como la perforación de tímpanos, ocluir la salida de pus y con ello agravar la situación de la persona, así que es mejor «quedarse fuera».

También es un aceite esencial muy agradable para difusión ambiental, muy refrescante y revitalizante.

Aceite esencial de lavanda
(*Lavandula angustifolia* ssp. *angustifolia*)

Este es el aceite esencial más conocido y utilizado de todos, aunque en los últimos tiempos está siendo desplazado en muchas aplicaciones por el árbol del té (*Melaleuca alternifolia*). Este aceite esencial también se conoce como «lavanda vera» y otros nombres, y no debería de ser confundido con el espliego (*Lavandula spica* o *Lavandula latifolia*) ya que son especies distintas con aceites esenciales diferentes (mucho) y aplicaciones muy diferentes también. Sin embargo, en muchos libros de aromaterapia traducidos al castellano, puede verse que se da indiferentemente la misma calificación a la lavanda que al espliego. Esto se debe a la falta de conocimiento botánico y aromaterapéutico de los traductores –en parte lógica, no es su especialidad–, y nunca llevará a un problema serio de intoxicación o irritación dérmica, pero es posible que no consigamos el efecto deseado si usamos espliego en lugar de lavanda, porque son de naturaleza

contraria (lavanda, sedante-relajante; espliego, tonificante-estimulante).

Hecha esta aclaración que considero muy necesaria ya que el espliego es un aceite esencial prácticamente producido en la península ibérica y norte de África, paso a hablar de la lavanda.

La lavanda se ha considerado como el aceite esencial «comodín» que sirve para todo y que para todo va bien. Esta afirmación tiene parte de verdad, pero sin llegar a la exageración, claro. Es un aceite esencial muy dulce y agradable, digamos que muy amigable con nosotros, que sirve para quemaduras, heridas, estados de nerviosismo y estrés –especialmente en niños–. Se dice que la aromaterapia comenzó –tal y como la conocemos modernamente– cuando el químico francés René M. Gattefossé, tras sufrir una quemadura en su laboratorio por la explosión de uno de los artefactos, de modo instintivo introdujo la mano en el primer recipiente de líquido que encontró, que resultó ser de aceite esencial de lavanda.

Maravillado por el efecto curativo rápido, cesación del dolor, etc., comenzó a investigar en la línea de los efectos terapéuticos de una materia prima natural que hasta aquel entonces solo se había considerado desde el punto de vista perfumístico, dando lugar a esta forma de terapia natural y acuñando el término *aromaterapia*.

Para las quemaduras, es muy importante su aplicación rápida y frecuente en cuanto sucedan (hablamos sobre todo de pequeñas quemaduras domésticas, claro).

Aceite esencial de inmortal/siempreviva (*Helichrysum italicum* ssp. *serotinum*)

Aquí es importante tener especialmente en cuenta el nombre botánico, porque existe el aceite esencial de *Helicrysum stoechas* que no tiene las mismas propiedades y resulta más económico porque tiene mucha menos demanda que el que estamos describiendo aquí. Yo siempre digo que este aceite esencial es «el árnica elevada a la enésima potencia», porque tiene un efecto anti-hematomas muy potente. Diluido al 5% en aceite vegetal (en este caso, actúa sinérgicamente muy bien con el de rosa mosqueta), es lo mejor para reabsorber hematomas e impedir su aparición si se aplica enseguida.

También se emplea en problemas del tipo dolor reumático (masajear el aceite esencial diluido en las zonas afectadas) y junto con rosa mosqueta y otros aceites esenciales es por sus propiedades regeneradoras, excelente en cualquier preparado cosmético de esta naturaleza (arrugas, estrías, «anti-edad», cicatrices, etc.).

Aceite esencial de menta piperita (*Mentha* × *piperita*)

Gracias a su naturaleza glacial (como el hielo), su aplicación inmediatamente después de un golpe o contusión tiene un efecto anestésico (dolor) y previene la reacción edematosa porque es antiinflamatorio.

También se emplea en casos de cefalea y migraña en frente, sienes/lóbulos (orejas) y nuca, una gota sirve para varios puntos de aplicación, no conviene excederse y hay que tener mucha precaución para que no toque los ojos ya que es muy irritante (ya sabéis, si pasa, limpiad con aceite vegetal).

En caso de indigestión, podemos hacer un preparado de uso externo y masaje en el vientre con movimientos en sentido horario (de izquierda a derecha).

En caso de mareos y como preventivo de vómitos en embarazadas, puede olerse una pequeña cantidad en un pañuelo. También alivia mucho y despeja las vías respiratorias este tipo de aplicación, así que nos puede servir en invierno como descongestivo nasal.

Por último, lo usamos en forma de enjuagues bucales (1-3 gotas en un vaso de agua) para calmar dolores de encías y dientes (no sustituye el tratamiento médico, solo alivia el dolor).

No debe usarse nunca este aceite esencial en niños pequeños ni bebés, podría producir un espasmo laríngeo (incluso por vía externa dependiendo de la concentración del preparado). Mantener alejado de su alcance, es un aceite esencial que tiene un aroma muy apetitoso y dan ganas de comerlo (de hecho se emplea en gran cantidad de alimentos, postres, dulces, helados, etc.).

Aceite esencial de *Origanum compactum* quim. carvacrol y otros oréganos (*Origanum vulgare...*)

A estos aceites esenciales yo los llamo «la artillería pesada» de la aromaterapia. Por su efecto antiinfeccioso mayor, se emplean en aromaterapia médica para los casos de infecciones resistentes. En usos caseros, los destinaremos a aplicaciones antiinfecciosas sobre la piel sin olvidar nunca diluirlos adecuadamente en un aceite vegetal. Conviene acordarse de ellos en infecciones muy resistentes, como ocurre a veces con hongos, donde otros aceites esenciales más suaves no llegan (árbol del té, palmarrosa, lavanda, etc.). También nos sirven para enjuagues bucales en infecciones dentales y de encías y en gargarismos para infecciones de garganta. Hay que ser muy cuidadosos en estos casos, y no poner más de 1 gota en un vaso grande de agua, ya que estos aceites esenciales son muy irritantes para la piel y mucosas. En ocasiones, para las infecciones de garganta, se usan de forma casi homeopática, mojando ligeramente la punta de un mondadientes (una microgota) y poniéndola debajo de la lengua para que active el sistema defensivo orgánico.

Aceite esencial de tomillo (*Thymus vulgaris* quim. tujanol)

Este es un aceite esencial antimicrobiano poco agresivo para la piel (vigilar los quimiotipos ricos en fenoles, como el tomillo quim. timol, quim. carvacrol, quim. paracimeno, que son muy irritantes en estado puro), por lo que se usa con más seguridad que otros quimiotipos. También se emplea para infecciones como faringitis, sinusitis, otitis, del modo que hemos explicado antes con otros aceites esenciales. Su aroma es muy agradable. El problema de este quimiotipo es que no siempre se encuentra fácilmente y, de hacerlo, es considerablemente más caro que otros tomillos.

Un poco por debajo en efectividad, pero más fácil de conseguir, es el quim. linalol, en la línea de los no irritantes para la piel, que también puede emplearse con mucha tranquilidad en todo tipo de preparados cutáneos dermatológicos, cosméticos y estéticos.

Como antimicrobiano (pero con un aroma muy inferior) podría sustituirse por el aceite esencial de árbol del té (*Melaleuca alternifolia* quim. terpineol-4).

Aceites vegetales básicos y sus propiedades

Como comenté anteriormente, es importante elegir aceites vegetales de gran calidad y esforzarnos en las mezclas en trabajar las sinergias posibles entre aceites esenciales y aceites vegetales para conseguir mayor eficacia en nuestros preparados. Para eso, es imprescindible tener unas nociones básicas de las diferencias y propiedades de cada uno de ellos y alejarse del concepto anticuado que existe todavía (especialmente en el ambiente del masaje), de que el único aceite vegetal que existe es el de almendras y que además es el mejor (ambas afirmaciones son completamente falsas).

Aceite de aguacate
(*Persea gratissima*)

Originario de América del Sur, introducido por los españoles en Europa. El aceite virgen es de una textura densa y muy verde, el refinado de un color dorado y textura fluida. La industria cosmética prefiere este último para incluirlo en todo tipo de preparados debido a su color y olor débil y precio inferior. Se lo considera como uno de los aceites más rápidamente absorbibles por la piel. El empleo de aceite virgen en masaje debe observarse con cuidado, por la textura densa y color y olor intensos.

> **Indicaciones:** Emoliente superior. Muy valioso en preparados de masaje y musculares. Muy saludable para la piel. Empleado en la enfermedad de Raynaud (enfermedad de origen desconocido en la cual las arterias de los dedos reaccionan inadecuadamente y entran en espasmo cuando se enfrían las manos; esto produce ataques de palidez, entumecimiento y molestias en los dedos). Humectante, suavizante, antiarrugas –previene el envejecimiento cutáneo–. Especialmente adecuado en pieles secas. Adecuado en inflamación de la piel. En cosmética se usa en muchos preparados, incluidos los lápices labiales. Mezclado con sésamo y oliva a partes iguales, es un protector solar (insuficiente para proteger actualmente y de forma total). Se considera un aceite seguro.

> **Observaciones:** Existe en el mercado un aceite de aguacate completamente transparente. Ello indica el excesivo proceso de refinamiento que ha sufrido. Este tipo de calidad no es muy recomendable en el uso en aromaterapia ni en tratamientos estéticos y cosméticos naturales.

Aceite de almendras dulces
(*Prunus dulcis Mill.*)

Originario de Oriente Medio, se cultiva en todo el Mediterráneo y climas cálidos como California desde hace cientos de años. Los griegos apreciaban mucho las almendras, y las introdujeron en todo el sur de Europa. El árbol es pequeño, entre 3 y 7 metros de altura y en primavera tiene unas bonitas flores rosadas o blancas que se transforman en los agradables frutos de los que se obtiene el aceite.

El aceite es uno de los más empleados como portador, tiene un color amarillo pálido, muy untuoso y poco oloroso (salvo el aceite virgen, con un delicado y agradable aroma a mazapán).

Tiene una composición y propiedades muy parecidos al de avellanas, albaricoque y melocotón.

En la actualidad, existe más demanda que oferta en el mercado, por lo que suelen encontrarse «aceites de almendra» a precios competitivos que son mezclas de varios aceites vegetales más baratos que el de almendra puro y que cumplen las normas sanitarias y especificaciones técnicas o farmacopeas correspondientes, como ocurre con ciertos aceites esenciales. El aceite refinado suele ser como mínimo un 50% más barato que el virgen.

> **Indicaciones:** Uso universal. Protector en pieles secas. Excelente emoliente, alivia y nutre pieles secas y ancianas. Ayuda a calmar la inflamación y el picor causado por el eczema, psoriasis, dermatitis y en todos los casos de pieles secas. Es bueno en caso de irritación en bebés. Calma las quemaduras. En cosméticos, como suavizante en infinidad de productos. Se considera un aceite no irritante ni sensibilizante, seguro en uso cosmético.

> **Observaciones:** Existe un aceite de almendras amargas (*Prunus amygdalus* var. *amara*, *Prunus dulcis* var. *amara*), que no se emplea en aromaterapia por su toxicidad. Previo a su destilación, las almendras se maceran en agua, lo que produce la formación de ácido hidrociánico (ácido prúsico). Es posible obtener aceite esencial de almendras amargas rectificado, libre de ácido prúsico, que sustituye al benzaldehído sintético que se emplea normalmente como aroma alimentario.

> **Precauciones:** No emplear en personas con intolerancia a los frutos secos.

Aceite de avellana
(*Corylus avellana L.*)

Originario de Grecia, muy común en el norte de Europa y cuenca mediterránea por cultivos posteriores. Es muy parecido al de almendra en casi todas sus características e indicaciones. La calidad virgen tiene un increíble y delicioso aroma a avellanas molidas que lo hace muy adecuado en todo tipo de preparados de uso externo para bebés y niños pequeños.

> **Indicaciones:** Muy rápida penetración cutánea. Nutritivo. Ligeramente astringente. Estimula la

circulación sanguínea. Se emplea en pieles grasas y en acnés, mezclándolo con aceite de uva o de girasol. En cosmética, puede emplearse como protector solar, con un factor equivalente al 10 de la FDA. También se usa en cremas, lociones, regeneradores capilares, champús, jabones, etc.

> **Observaciones:** Se ha informado de algún caso de urticaria por contacto con este aceite y posible anafilaxia (reacción alérgica). No emplear en personas con intolerancia a los frutos secos.

Aceite de cártamo
(*Carthamus tinctorius L.*)

Planta antigua, encontrada en tumbas egipcias de más de 3.000 años, se produce actualmente en México, India y EE.UU. principalmente. Es un aceite fluido, insaturado, de color pálido amarillento con un tacto similar al de girasol.

Fuente natural de pigmentos (flor color azafrán). De uso principalmente alimentario, rico en GLA.

> **Indicaciones:** Eczema y piel enrojecida. Aceite seguro.

Aceite de coco
(*Cocus nucifera*)

Árbol de hasta 25 metros de altura, de gran importancia comercial. Se supone que el origen de esta planta está en la zona de Malasia y Polinesia, pero su origen es incierto. Los frutos del cocotero aguantan muy bien el agua marina y pueden flotar extendiéndose a miles de kilómetros. En estos momentos, los cultivos se realizan en zonas tropicales, especialmente África y sudeste asiático. El árbol puede vivir hasta 30 años y puede dar unas 80 nueces al año, aunque algunas variedades pueden llegar a producir 200 unidades.

El aceite sólido es blanco, cristalino, grasa altamente saturada. Solidifica por debajo de los 25 °C. Tiene un olor característico, pero no es el típico aroma a coco que se encuentra en muchos alimentos o cosméticos, y que se debe a la adición de aromas sintéticos. Cuando el coco se fracciona resulta un líquido, que se encuentra comercialmente como aceite de coco.

La untuosidad de este aceite lo hace muy adecuado como base para preparados de masaje.

> **Indicaciones:** Emoliente, suavizante. En uso cosmético, protege y desenreda los cabellos muy secos y rizados. Es la base de un famoso enflorado tahitiano, el monöi, que se hace con la flor de Tiaré macerada en aceite de coco.

> **Observaciones:** El aceite de coco puede producir reacciones alérgicas en algunas personas, especialmente el extraído con disolventes.

Aceite de caléndula (macerado) (*Calendula officinalis L.*)

Planta originaria del Mediterráneo, anual, de hermosas flores naranja, no suele sobrepasar los 50 cm de altura. Se emplea cualquier aceite para su extracción. Dependiendo de su uso cosmético o medicinal, recomiendo el empleo de almendras dulces, sésamo o girasol ecológico (cosmético) u oliva virgen (medicinal).

El aceite de caléndula es uno de los más apropiados para bebés y niños.

> **Método de extracción:** Maceración de la flor en aceite vegetal. Filtrado.

> **Indicaciones:** Venas varicosas y venillas rotas (cuperosis), quemaduras, eczema, cortes, escoceduras en bebés.

Aceite de germen de trigo (*Triticum vulgare*)

Cereal altamente cultivado y conocido en todo el mundo. El germen, un 3% del grano, contiene vitaminas, minerales, proteínas. El aceite contiene vitamina E, antioxidante natural, aunque no tanto como el de soja o palma virgen. El olor de este aceite no refinado es bastante desagradable para algunas personas.

> **Método de extracción:** Maceración. Extracción con solventes. Refinado.

> **Indicaciones:** Rico en vitaminas liposolubles; muy bueno para revitalizar la piel seca. Adecuado para tratar los síntomas de dermatitis. Beneficioso en estiramientos musculares, siendo una buena base para preparados de masaje deportivo. En uso cosmético, tratamientos rejuvenecedores, antiarrugas, contorno de ojos, etc.

> **Observaciones:** Contraindicado en personas alérgicas a la proteína del trigo.

Aceite de girasol (*Helianthus annus L.*)

Planta originaria de Sudamérica. Cultivada en grandes extensiones en el hemisferio norte. Se emplea mucho como base para macerados (especialmente la calidad prensada en frío y ecológica).

> **Indicaciones:** Beneficioso en pieles enfermas y quemaduras. Ayuda en úlceras en las piernas. Se emplea en las composiciones para problemas de piel, hemorroides, acné, seborrea, rinitis y sinusitis. En uso cosmético, como base para todo tipo de preparados de masaje. No tiene contraindicaciones, pero el aceite muy refinado empleado en alimentación no es recomendable para el masaje de aromaterapia.

Aceite de hipérico (macerado) (*Hypericum perforatum*)

Planta europea de pequeño tamaño y florecillas amarillas que aparecen en el verano. Los pétalos contienen hipericina, sustancia antiviral. El aceite, macerado de forma tradicional, se elabora a partir de los pétalos de flores recogidas el día de San Juan (24 de junio) y los inmediatamente anteriores, y se pone a macerar en aceite de oliva virgen durante 40 días y 40 noches al sol y la luna, en recipientes de vidrio transparentes. Se ha observado una reacción de tipo fotoquímico que transforma el verde aceite de oliva, al cabo del tiempo, en un bello líquido de color rojo intenso.

> **Método de extracción:** Maceración de la planta en flor en aceite de oliva virgen.
> **Indicaciones:** Heridas donde esté dañado el tejido nervioso. Problemas asociados a inflamación nerviosa, incluyendo neuralgias, ciática y fibrositis. Quemaduras e inflamaciones, incluyendo quemaduras solares. Para evitar que los niños mojen la cama, masajear el bajo vientre con hipérico. Hemorroides, gota, reumatismo, úlceras, heridas, urticaria, herpes, dolores. Mezclado con caléndula a partes iguales es bueno en contusiones y quemaduras. En uso cosmético, es calmante, antiséptico y analgésico.
> **Observaciones:** Puede producir alergias en individuos sensibles al exponerse al sol.

Aceite de jojoba/yoyoba
(*Simmondsia sinensis*)

Planta semi-perenne que crece en zonas áridas y semi-áridas (Arizona, Nordeste de México, etc.). Plantada en principio para prevenir la desertización, deviene en ser una de las plantas que produce un aceite vegetal de los más apreciados en aromaterapia y cosmética. Este aceite se considera una cera, una cera líquida, por lo que no se oxida o enrancia, y puede mantener sus propiedades durante años. En los años 70 comenzó a ser una alternativa en la industria cosmética al uso de aceite de esperma de ballena (espermaceti), que se empleaba asiduamente en todo tipo de formulaciones. Tiene una textura excelente, penetra muy bien en la piel y no deja un tacto graso. Su color es dorado y hermoso. También puede emplearse como base para perfumes oleosos sin alcohol.

> **Indicaciones:** Por su contenido en ácido mirístico, tiene propiedades antiinflamatorias, siendo beneficioso en mezclas para artritis y reumatismo. Excelente en todo tipo de pieles. Pieles secas, psoriasis, eczema, quemaduras solares, irritaciones, irritaciones del pañal. En uso cosmético, post-depilatorios, equilibrante para pieles secas o grasas. Excelente acondicionador para cabellos oscuros y con cuerpo; les da brillo y suavidad.
> **Observaciones:** Aceite muy seguro, precaución en caso de dermatitis. No emplear calidades refinadas y decoloradas (de color transparente).

Manteca de karité
(*Butyrospermum parkii*)

Árbol africano de cuya semilla se obtiene una grasa sólida amarillenta-verdosa. El producto no refinado tiende a enranciarse muy rápidamente, por lo que la manteca que suele encontrarse en el mercado, refinada, tiene un color parecido a la mantequilla y una textura semejante, con olor muy débil a grasa. Su aplicación sobre la piel, debido a su punto de fusión de 32 °C, es excelente, se derrite y aplica muy fácilmente y tiene un grado de penetración alto.

Suele recomendarse en tratamientos para bebés y también en preparados para reflexoterapia podal, ya que no engrasa los pies y es un excelente lubricante.

> **Indicaciones:** Cicatrizante, hidratante, calmante, regeneradora. Retrasa el envejecimiento cutáneo, protege la piel del sol, bueno en preparados para deportistas (calentar musculatura). Pieles maduras y bebés. Producto seguro.

Aceite de oliva virgen extra
(1ª presión en frío)
(*Olea europaea*)

Además de ser un deleite para el sentido del gusto, es excelente en todos los sentidos, y muy poco apreciado en nuestras latitudes por su abundancia y en la aromaterapia de otros países por su escasez o precio superior al de otros. Tener muy en cuenta como materia prima. Conviene buscar calidades afrutadas y ligeras, de poca acidez también, porque afectarán menos al olor final de las mezclas que aquellas que son muy intensas (en aroma, densidad y color) y dejarán

Olivo

menos engrasada la piel. Si queremos cambiar su textura o aroma, podemos emplearlo mezclado a partes iguales con aceites menos grasos. Por favor, no sustituir con aceites de oliva refinados y especialmente con **aceites de orujo,** son un subproducto industrial nefasto (tanto para ingerir como para la piel).

> **Indicaciones:** Especialmente indicado en pieles secas. Calmante, emoliente. Usado en quemaduras, esguinces, contusiones, picaduras de insectos, suavemente astringente y antiséptico. Masaje en el cuero cabelludo en casos de piorrea. En cosmética se emplea en jabones,

champús, cremas de noche, brillantinas, productos solares y de masaje, ungüentos farmacéuticos.

> **Observaciones:** Las adulteraciones con aceite de algodón pueden dar lugar a alergias. Es un aceite seguro en estado puro.

Aceite de onagra-primula (*Oenothera biennis*)

Aceite amarillento pálido, ligeramente secante, de olor débil, rico en GLA, aunque en menor cantidad que el de borraja, muy utilizado como complemento alimentario y de la dieta desequilibrada actual, para aportar el alimento necesario a nivel celular para su buen funcionamiento.

> **Indicaciones:** Piel seca, caspa, psoriasis, eczema, acelera la curación de las heridas. En uso cosmético, en tratamientos rejuvenecedores de la piel. Masaje, especialmente facial.

> **Observaciones:** Aceite seguro.

Aceite de rosa mosqueta (*Rosa rubiginosa*)

Extraído del escaramujo (pequeño fruto) de una especie de rosal silvestre, recolectado principalmente en Chile, en los últimos 10 años, uno de los aceites vegetales más valorados y reconocidos en el mundo de la aromaterapia médica y la cosmética natural. El aceite es de color amarillento-rojizo, o más rojizo en el caso de calidades orgánicas, debido al elevado contenido de carotenoides de las cáscaras. Los frutos, muy ricos en vitamina C, en mayor cantidad que las naranjas, son una excelente alternativa nutricional en aquellas zonas andinas donde existe malnutrición infantil. Las calidades de rosas mosquetas extraídas con disolventes, más económicas, no son tan buenas como las obtenidas por expresión. El aceite tiene un olor que recuerda al trigo seco, textura muy agradable y untuosa, y la piel lo absorbe con facilidad. Tiene tendencia a enranciarse fácilmente, lo cual, en ocasiones, es asociado a una característica del aceite (el olor a pescado rancio), que no corresponde en absoluto a la calidad que ha de tener el producto en condiciones perfectas de uso.

> **Indicaciones:** Cicatrizante, empleado en postoperatorios en clínica en Chile, en cualquier tipo de proceso que implique regeneración cutánea, estrías, arrugas, cicatrices retráctiles, manchas, eczema, quemaduras. Tiene muy amplia aplicación en cosmética, especialmente en tratamientos rejuvenecedores o anti-envejecimiento. Es un muy eficaz preventivo de aparición de estrías en el embarazo, aplicándolo desde el 3er mes 1 o 2 veces al día. Carece de efectos secundarios.

Aceite de sésamo
(*Sesamum indicum*)

Rico en sesamol, sesamolina y tocoferoles, antioxidantes naturales (solo las calidades prensadas en frío). Aceite que resiste bastante bien la oxidación. Color amarillo pálido o castaño. Olor muy suave. Nutritivo. Algunas calidades de aceite de sésamo, muy oscuras y de olor muy intenso, no son nada agradables de aplicar en masaje, suelen ser extraídos de semillas de sésamo ya cocidas.

> **Indicaciones:** Uso universal. Pieles secas, normales, grasas. Excelente base de masaje. Ligero factor de protección solar. Preparados antirreumáticos. Psoriasis, eczema seco, venas varicosas. En uso cosmético, en brillantinas, productos solares, champús, jabones, cremas lubricantes. Mezclado con oliva puede aplicarse en cabello con caspa.

> **Observaciones:** En algunos casos puede ocasionar hipersensibilidad.

Aceite de tamanu
(*Calophyllum inophyllum*)

Este árbol especial proviene de zonas tropicales del sudeste asiático y Polinesia, naturalizado en Hawai y cultivado en Madagascar. El fruto proporciona un aceite muy viscoso, denso y de color verde oscuro, con olor característico que puede recordar a nueces intensamente. Muy empleado en la medicina aromática francesa, en su origen tropical siempre fue valorado por sus propiedades analgésicas, antiinflamatorias y cicatrizantes. Se ha empleado en leproserías.

> **Indicaciones:** Problemas serios de piel y cabello. Eczema, psoriasis. Neuralgias faciales. Herpes (combinado con Ravintsara). Calma el dolor en ciática y reumatismo. Rubefaciente. No irrita las mucosas, puede emplearse en fisuras anales, vaginitis y grietas en los pezones.

> **Observaciones:** No se conocen contraindicaciones.

Existen otras materias primas que pueden ser de gran utilidad en nuestros preparados caseros y profesionales de aromaterapia, pero de importancia secundaria si los comparamos con los aceites esenciales y aceites vegetales.

Otros complementos necesarios

Plantas y sus extractos

Los aceites esenciales son extractos de plantas. También empleamos en los preparados extractos que nosotros mismos podemos hacer o comprar (tinturas, extractos fluidos, extractos secos, extractos glicerinados, etc.), así como emplear plantas pulverizadas (por ejemplo en emplastos con arcillas). La FITOAROMATERAPIA emplea conjuntamente todas las partes de los vegetales gracias a los distintos extractos posibles de ellos en diferentes prácticas terapéuticas. El ser humano ha empleado siempre las plantas como recurso medicinal, así que digamos que las posibilidades de hacer cosas con ellas son inabarcables. Del mismo modo, nadie debería restringirnos su uso, los recursos naturales SON DE TODOS LOS SERES HUMANOS, todos tenemos derecho a ellos, el mismo, no hay nadie superior a nadie. ¿Con qué derecho ciertas personas e instituciones se arrogan el poder divino? Como la tendencia actual es a restringir y prohibir el uso de plantas a la población en general (bajo la excusa de su «protección», claro), con el único fin de monopolizar por un lado su comercialización y de impedir el acceso a fuentes efectivas y económicas de sanarse uno mismo, es cuestión de que nos cultivemos nuestras propias plantas, recolectemos conscientemente y sin esquilmar los montes las que se puedan y no estén en peligro de extinción y elaboremos nuestros propios extractos. Son muy famosos los extractos de áloe vera en uso dermatológico, pero lógicamente hay cientos de plantas válidas y no todas muy conocidas.

Cera de abeja

Es importante que sea de calidad ecológica, las convencionales suelen ir muy «cargadas» de restos de productos químicos que se emplean en la apicultura industrial y que son liposolubles. La cera de abeja es indispensable para realizar ungüentos caseros ya que da consistencia a los aceites. También tiene propiedades interesantes como cicatrizante. Es un producto de uso tradicional que se pierde en la noche de los tiempos y presente en nuestra tradición farmacológica.

Arcillas

Las arcillas son una de las materias primas más agradecidas que podemos emplear. Precisamente porque es abundante, no se le hace mucho caso. Gracias a Dios, hay buenas tierras en todos los lugares del mundo. Por supuesto, siempre nos van a vender «la moto» de que sus arcillas son las mejores: los franceses, su arcilla verde (claro, ya conocemos lo bien que lo venden todo...) por ejemplo, son el típico ejemplo de estupidez llevada al punto de venta.

Queridos lectoras y lectores, todas las arcillas suelen ser bastante buenas (si son de calidad), y tiene bastante poca importancia el color (verde, blanca, amarilla, roja, gris...), que suele ser indicativo del tipo de óxido de hierro presente. Todo lo demás son historias creadas para vender un producto que debería de ser muy económico y no siempre lo es. Especialmente en el mundo profesional de la estética, se pueden llegar a pagar precios ridículos y absurdos (en el sentido de que pagar por algo tan barato tanto dinero es ridículo) por muchas materias primas naturales. Las arcillas nos permiten bases naturales muy efectivas para emplastos curativos y mascarillas de belleza.

Algas

Las algas son plantas, pero marinas. Se emplean mucho en alimentación (en Occidente no tanto como en Oriente) pero también tienen buenas aplicaciones en emplastos y mascarillas faciales y corporales. Son bastante conocidos el Fucus (*Fucus vesiculosus*) como anticelulítico, la Laminaria (*Laminaria digitata*) como reafirmante, el Lithotamnium (*Lithotamnium calcareum*) que como su nombre indica es bastante rica en minerales y se emplea en tratamientos reafirmantes/reestructurantes, y un largo etc. También algas como el agar-agar son base para realizar mascarillas de alginatos muy apreciadas en *spa*.

Alcoholes

El alcohol etílico (etanol) es un disolvente casi tan universal como el agua. Se obtiene de fuentes vegetales, y es la base para realizar las tinturas de plantas, aunque también sirve para hacer alcoholes de masaje y como desinfectante y antiséptico. Por desgracia, existen limitaciones en la comercialización del alcohol agravadas en las últimas décadas. Esto se debe a que como materia prima de elaboración de licores, está gravada fuertemente por impuestos, y para que las personas no puedan elaborarse sus propias bebidas alcohólicas; el etanol puro, que a veces puede conseguirse en farmacias, tiene un precio prohibitivo, si es que consigues que el farmacéutico

te venda un litro sin poner una cara semejante al que hubiera pedido 1 kg de cocaína o tal vez de nitroglicerina... El etanol que se encuentra en farmacias y droguerías, para uso higiénico, suele ir mezclado con alcohol isopropílico (muy tóxico por vía interna y mucho más barato que el etílico) o con cloruro de benzalconio, un desnaturalizante que le da un sabor amargo muy desagradable para evitar su uso en boca.

A veces es más sencillo usar un licor blanco de alta graduación alcohólica (orujos de calidad, vodka, etc.) como base alcohólica para realizar extractos que pagar 18 € por un litro de alcohol, de los cuales 15 son impuestos.

Otro alcohol muy interesante y relativamente fácil de conseguir hoy en día para usos cutáneos, es la glicerina o glicerol. Puede ser de origen animal, vegetal o de origen petroquímico. Lógicamente, usaremos siempre la de origen vegetal. La glicerina es un subproducto de la saponificación de las grasas, es decir, que si hacemos un jabón vegetal, obtendremos glicerina vegetal. Sus propiedades más interesantes son como higroscópico (capta humedad) y antiséptico (a veces se usa como conservante auxiliar, al igual que el etanol). También se usa como disolvente para realizar extractos glicerinados de plantas. Si la empleamos en estado puro sobre la piel, la seca y deshidrata, pero si la manejamos mezclada con sustancias acuosas, actúa como «hidratante». Una proporción en nuestras mascarillas y emplastos de arcilla permitirá que luego las podamos retirar mejor y mejora su extensibilidad.

El propilenglicol (PPG) es otro alcohol muy empleado en la industria. Se emplea como disolvente para hacer los famosos extractos glicólicos, muy empleados en cosmética por su estabilidad y buena solubilidad en el agua. Sin embargo, no son admitidos en la cosmética ecológica porque este disolvente no es muy sano que digamos... ¿Sabes con qué se elabora el anticongelante que pones en tu coche? Sí, en efecto, con agua, propilenglicol y un colorante...

El dipropilenglicol (DPPG) es un alcohol que se emplea para adulterar los aceites esenciales, para «alargarlos». Muy barato, sin olor, permite hacer de cada kilogramo de aceite esencial, 1, 2, 3, 4... vamos, los que el cliente quiera en función del precio que quiera pagar (puede verse un ejemplo de cálculo de costes y beneficios en uno de mis anteriores libros: *Aromaterapia, de la magia a la certeza científica*, Ediciones Obelisco, pág. 45).

Miel

Otro tesoro natural, elaborado por las abejas, conocida por sus propiedades antisépticas, suavizantes para la piel y alimento privilegiado –cuando es de calidad–. La de mejor calidad es no pasteurizada, y aquí también es interesante que sea de calidad ecológica. Puede añadirse a mascarillas, ungüentos, cremas, etc. En medicina aromática a veces se emplea para disolver las gotas de aceite esencial a tomar por vía interna.

Leche animal

Si tenemos una leche entera de calidad, es bastante buena para la piel (no tanto para la salud como alimento; cuando crecemos perdemos las enzimas que la digieren). Puede ir bien como suavizante y calmante. Hay que recordar que la leche es una emulsión natural de grasas y agua, así que, de algún modo, es como si usamos una crema pero más fluida. La leche en polvo entera es un vehículo excelente para preparar los baños aromáticos y disolver de forma natural los aceites esenciales en el agua. (Ver «baños» en el vídeo)

Yogur

También muy importante que sea lo más natural posible (ecológico u orgánico, según el país), muy bueno en pieles muy secas o grasas, ya que el ácido láctico que contiene es afín al manto ácido de la piel y ayuda a su equilibrio. Su textura suave y fresca comunica una sensación muy agradable cuando se aplica en el rostro.

Avena en copos

Además de un muy buen alimento, podemos emplearla haciendo infusiones (leche de avena) que podemos emplear para los mismos casos que la leche animal y sobre todo es muy beneficiosa para las pieles muy sensibles, reactivas, eczemas, etc. Otra utilidad puede ser como exfoliante, moliendo los copos en trozos lo más pequeños posible y mezclándolos con un aceite para realizar un *peeling* natural.

Vinagre de sidra (vinagre de manzana)

El pH ácido del vinagre es muy beneficioso para la piel y el cuero cabelludo, y este tipo de vinagre tiene un olor mucho menos intenso que el de vino (pero tiene un olor peculiar). Ayuda a restablecer el equilibro cutáneo (que suele estar en torno al 5'5) ayudando a prevenir infecciones cutáneas. Es tradicional su uso en enjuagues después de lavar el cabello para dar brillo y quitar los picores (medio vaso en 2 litros de agua).

Hidrolatos

Los hidrolatos son junto con los aceites esenciales el resultado de la destilación por arrastre de vapor de las plantas para obtener aceites esenciales. Los más empleados son el de rosa y el de azahar (neroli), aunque como se puede imaginar, existen de cualquier planta que sea destilada. En una gran cantidad de casos, no tienen demanda comercial, por lo que el hidrolato se tira, se usa para regar o se vuelve a emplear para próximas calderas de destilación.

No deben confundirse con las aguas aromáticas, que, en general (también en el caso de rosa y azahar), son simples mezclas de agua, esencia artificial, solubilizante, conservante y a veces colorante. A pesar de que en la medicina aromática francesa se han investigado y aplicado abundantemente, teniendo gran cantidad de aplicaciones fitoterapéuticas, su inestabilidad, facilidad de contaminación y, sobre todo, falta de demanda por parte de los consumidores, hasta la actualidad no han hecho de este un negocio rentable ni viable. Esperemos que con el tiempo la tendencia cambie.

El hidrolato de rosas, se usa desde el año 1000 en todo tipo de lociones, cremas, tónicos y cosméticos. Puede usarse en todo tipo de pieles como tónico, como *after-shave* y como revitalizante en pulverizaciones con *sprays* o añadiéndolo a nuestras mascarillas y preparados en lugar de agua.

El hidrolato de azahar es astringente, más adecuado en pieles grasas y acneicas, aunque también tiene propiedades relajantes por su agradable aroma.

Otros hidrolatos interesantes son el de hamamelis, lavanda o aciano, pero hay docenas de ellos esperando a ser descubiertos y empleados.

Sal marina

La sal marina entera es excelente para baños (siempre que se pueda, es infinitamente mejor un baño en el mar, claro), ayuda mucho junto con el agua caliente a deshacer tensiones musculares y es muy relajante. También resulta muy beneficiosa para psoriasis y ciertos eccemas. Pueden hacerse *peelings* muy buenos simplemente mezclando sal marina fina con aceite de jojoba y obteniendo una pasta que se aplica en el rostro con suaves giros. Personalmente, soy bastante enemigo de las «modas», así que no empleo sales del mar Muerto y cosas por el estilo, porque a este paso, van a dejarlo más muerto todavía... Creo que tenemos recursos naturales en todo el planeta, y que lo mejor, siempre que sea posible, es emplear los recursos del lugar.

Fangos

El fango es distinto a las arcillas, porque a diferencia de las primeras, además de composición mineral, contiene restos de materias orgánicas (plantas, animales). Los fangos han sido empleados tradicionalmente para usos terapéuticos en todo el mundo. Ahora se han puesto de moda fangos del mar Muerto o del Atlántico, pero cualquiera que carezca de contaminantes puede ser muy bueno (si puedes soportar el olor, recuerda que contiene materias orgánicas en descomposición) para problemas cutáneos y tratamientos rejuvenecedores.

Ficha técnica de los aceites esenciales

En las siguientes páginas, encontrarás fichas de 51 aceites esenciales muy empleados o especialmente interesantes para su uso casero.

Primero se da su nombre común o vulgar (Abeto balsámico), después su nombre botánico (*Abies balsamea*). Se da una pequeña explicación sobre lo más importante de cada uno de ellos y, a continuación, familia botánica a la que pertenece, forma de obtención, los principales usos caseros para los que son eficaces. En aromaterapia médica (medicina aromática) y en psicoaromaterapia, podemos tener otros usos, pero excedería la extensión y la intención de este libro poder cubrirlos todos.

Las formas de aplicarlos son siguiendo el sentido común y observando cómo lo hacemos en la parte de tratamientos, no obstante, en algunas ocasiones que he considerado necesario, he puesto alguna aclaración sobre cómo aplicarlos en concreto.

Posteriormente, se hace mención a las contraindicaciones (si las hay), remitiendo siempre al lector donde hablamos de las precauciones a tener en cuenta.

Por último, se dan unas orientaciones o consejos para las mezclas. Esto es, como todos los consejos, para tenerlos en cuenta como guía, pero no como verdades absolutas. Puede resultar que a usted le encante mezclar notas que a la mayor parte de la gente no le gusta mezclar; bueno, hágalo y disfrute.

Son orientaciones que, por experiencia, ahorran tiempo y errores, también verán más indicaciones en la parte audiovisual de este libro que les permitirán realizar las mezclas y preparados con mayor seguridad y eficacia.

Las notas altas o de salida son las primeras que percibimos en una mezcla. Son muy volátiles, por eso nos llegan enseguida, y por lo mismo también se van enseguida, es decir, una mezcla con muchas notas de salida tendrá **poca persistencia**. Suelen ser frescas (cítricos, herbales).

Las notas medias o de corazón son las que permanecen más tiempo que las de salida y dan a la mezcla la personalidad que las caracteriza. Suelen ser herbales, florales.

Las notas bajas o de fondo son las más persistentes. Se mantendrán ahí cuando las otras hayan desaparecido, dan a la mezcla profundidad. Suelen ser maderas, resinas, pachulí, vetiver...

El arte de la perfumería es un verdadero arte. No se puede comunicar en una pequeña obra como esta, pero sí podemos dar unas pinceladas para hacer más sencillas y agradables las composiciones.

De cualquier modo, lo esencial es DESCUBRIR y DISFRUTAR del trabajo, así que, por favor, les ruego que tomen todas estas indicaciones como eso, meras indicaciones para seguir un camino. Uds. pueden pararse, continuar, desviarse, retroceder o avanzar cuando gusten. Es su camino.

Notas aromáticas para mezclas y aceites esenciales

La volatilidad es la característica física indispensable para que una sustancia tenga olor.

Los aceites esenciales huelen porque son volátiles. Hace unos 100 años, casi la práctica totalidad de los perfumes se elaboraban a base de sustancias aromáticas naturales, principalmente aceites esenciales vegetales y algunas esencias animales. Los receptores olfativos reciben primero las notas **más volátiles**.

Un perfume se considera formado por tres partes fundamentales:
> salida (altas),
> corazón (medias),
> fondo (bajas).

Las notas de salida son las más volátiles, en consecuencia las primeras en ser detectadas por nuestros receptores olfativos.

Se deben principalmente a componentes cítricos, verdes, aromáticos y flores blancas, con efectos olfativos frescos y etéreos.

Las notas de corazón o notas medias son la parte central del perfume, son los aldehídos, frutos, flores y especias, confieren volumen, riqueza y exotismo.

Las notas de fondo son las más tenaces, menos volátiles. Dan persistencia y carácter al perfume, son notas amaderadas, orientales, ambaradas y animales.

Un perfume muy fresco será menos persistente que un perfume cálido, porque el frescor proviene de los componentes más volátiles y las sensaciones densas y cálidas, más tenaces, son menos volátiles.

Aplicamos estos conceptos de la perfumería a la aromaterapia como manera de clasificación y conceptual para ayudarnos a realizar mezclas y armonías, pero no deja de ser un constructo que puede ser planteado de otras formas también.

Abeto balsámico
(*Abies balsamea*)

También conocido como bálsamo del Canadá. Original de América del Norte. Tiene un aroma reconfortante, cálido y energetizante.
> **Familia:** Pináceas.
> **Destilado de:** Ramas-hojas.
> **Usos caseros:** Quemaduras, cortes, heridas. Bronquitis, catarros, tos, dolor de garganta. Ansiedad, depresión leve, tensión nerviosa, estrés. Excelente en problemas del aparato respiratorio.

> **Notas aromáticas para mezclas**
  Nota de corazón: intensidad aromática media.
  Mezcla bien con pino, cedro, incienso, sándalo, enebro bayas, ciprés, limón, salvias.

Ajedrea
(*Satureia montana*)

Planta muy abundante en Europa. De aroma picante y energetizante.
> **Familia:** Lamiáceas
> **Destilado de:** Sumidades floridas.
> **Usos caseros:** Antiinfeccioso mayor, antibacteriano, fungicida, antiviral y antiparasitario. Bronquitis, fatiga nerviosa, hipotensión, artritis, poliartritis reumatoide.
> **Contraindicaciones:** Es dermocáustico, usar siempre externamente y diluido adecuadamente.
> **Notas aromáticas para mezclas**
  Nota de corazón: intensidad aromática media.
  Mezcla bien con clavo, cardamomo, cilantro, cítricos, geranio, lavanda, pachulí, *petit-grain*, sándalo.

Árbol del té
(*Melaleuca alternifolia* quim. terpineol-4)

Árbol originario de Australia, aunque actualmente también se cultiva en otras latitudes (Sudáfrica, por ejemplo).

Posiblemente es el aceite esencial más consumido en la actualidad, por delante del de lavanda. Aroma limpio y energetizante.

> **Familia:** Mirtáceas.

> **Destilado de:** Ramas-hojas.

> **Usos caseros:** Astenia. Pie de atleta, acné, abscesos, herpes labial. Caspa, erupciones cutáneas, tiña. Quemaduras, heridas, mordeduras, picaduras de insectos. Resfriados, gripe, catarro, tos. Verrugas, candidiasis. Cistitis. Fiebres. Preventivo de infecciones (difundir en el ambiente o fumigar). Excelente para tratar las pulgas y garrapatas en perros y gatos.

> **Contraindicaciones:** Este quimiotipo no suele dar problemas, pero el quimiotipo rico en 1.8 cineol puede causar irritación en la piel por uso prolongado.

> **Notas para mezclas**
Nota de salida: intensidad aromática muy alta. Mezcla bien con espliego, ciprés, salvias, coriandro, eucaliptos, limón y otros cítricos, lavanda, geranio, palmarrosa, enebro, mejorana, romero, pino.

Azahar/Neroli
(*Citrus aurantium* var. *amara*)

Uno de los aceites esenciales más apreciados y caros en aromaterapia, una auténtica delicia para los sentidos y con propiedades sutiles muy hermosas. Los principales países productores son Marruecos, Túnez, Egipto, Italia y España. De cada cinco flores de este naranjo amargo, una se deja en el árbol para la producción de naranjas y el resto se destila para obtener aceites esenciales. Hacen falta unos 2.500 kg de pétalos para obtener un solo kilo de aceite esencial, esto nos da una idea de su precio.

Suele ser adulterado y corren infinidad de calidades y copias, desde 100% naturales a 100% artificiales, a todo tipo de precios, que no son útiles en aromaterapia. De aroma floral y dulzura divina, se le considera como el mejor antidepresivo dentro de los aceites esenciales, excelente en tratamientos relacionados con la mente y las emociones. En uso cosmético y estético otorga a las mezclas una calidad superior indefinible. Su hidrolato es muy empleado, incluso en la cocina árabe, en postres. Su bello nombre en castellano, azahar, proviene del árabe y significa *flor blanca*, siendo conocida internacionalmente por el nombre de neroli, en honor a la princesa de Neroli, Ana María de la Tremoille, por su gusto por este aceite esencial.

> **Familia:** Rutáceas.

> **Destilado de:** Flores.

> **Usos caseros:** Cuidados faciales para todo tipo de pieles —luminosidad, anti envejecimiento, regenerador, etc.—, preventivo de estrías (mezclado con aceite vegetal de rosa mosqueta), puede usarse para problemas circulatorios, pero sus mejores aplicaciones son en el ámbito mental-emocional: palpitaciones cardiacas, depresiones, tensión nerviosa, estrés, síndrome premenstrual, nerviosismo en general, hiperactividad en niños. Excelente para usar en meditación y relajación como aroma (mejor ponerlo sobre el cuerpo que en difusor o ambientador, haciéndose un pequeño perfume con aceite vegetal de jojoba, por ejemplo).

> **Notas para mezclas**
Nota de corazón (media), de intensidad aromática moderada. Mezcla bien con muchos aceites esenciales, sobre todo con cítricos, maderas, herbales (manzanilla romana, salvias, coriandro, lavanda, romero, nardo índico, otras flores (rosa, *ylang-ylang*), geranios, y con resinas como el incienso, mirra, etc.

Bergamota
(*Citrus aurantium L*. **ssp.** *bergamia*)

Este amable cítrico se cultiva sobre todo en Italia (Sicilia-Bérgamo), aunque también hay producción en otros países. Si bien podría consumirse, sobre todo se cultiva para obtener el apreciado y delicioso aceite esencial de su cáscara. Se considera como el aceite esencial que mayor fotosensibilidad puede producir, por lo que existen calidades libres de furocumarinas (Bergamota FCF), que no recomiendo para uso en aromaterapia, ya que su aroma ha perdido gran cantidad de fuerza y energía. Las calidades destiladas también son muy tristes. Este es uno de los aceites esenciales de cítricos (todos son muy agradables) que posiblemente tenga el efecto antidepresivo más acentuado. Es lógico, puesto que su simple aroma ya tiene un efecto sobre quien lo huele de apertura, alegría y luminosidad, de alegría en definitiva, muy característico. Por ello, vale la pena emplearlo de la máxima calidad, y tener la precaución, en el caso de usarlo sobre la piel, de hacerlo en horas en que no vaya a estar expuesta a la luz solar o los rayos UVA, o bien cubierta por ropa. Puede usarse en sustitución del azahar como alternativa más barata; aunque no llegue al mismo nivel, dará buen resultado.

> **Familia botánica:** Rutáceas.
> **Obtenido por:** Raspado y centrifugación de la cáscara del fruto.
> **Usos caseros:** La infusión se emplea como tónico digestivo favorecedor del apetito, existe un famoso té aromatizado con bergamota «Earl Grey Tea». Puede emplearse en depresiones leves, síndrome premenstrual, ansiedad, estrés, negatividad. Es un buen aroma para el insomnio. También útil en resfriados, gripes y fiebres.
> **Notas para mezclas**
> Nota alta, intensidad aromática bastante baja. Mezcla bien con todos los cítricos, con los *pe-tit-grain* (aceite esencial de la hoja del cítrico), con las maderas, resinas y herbales en general (romero, salvia, lavanda, ciprés, enebro), con las flores (azahar, rosa, *ylang-ylang*) y con las especias (jengibre, coriandro).
> **Precauciones:** Fotosensibilizante. En contacto con la luz solar o los rayos UVA puede producir desde irritación a quemaduras, así como manchas. El peligro se elimina si la zona está bien protegida o si la aplicación se hace en horas en las que el sol ya no va a ser un problema (última hora de la tarde, noche).

Cajeput
(*Melaleuca cajeputii*)

Este aceite esencial australiano, primo del árbol del té, es muy eficaz en problemas respiratorios y tiene ciertas características que lo hacen interesante en nuestro botiquín casero. Su aroma es fresco, medicinal e intenso.

> **Familia botánica:** Mirtáceas.
> **Destilado de:** Hojas-ramas.
> **Usos caseros:** Es anticatarral y expectorante, por lo que podemos usarlo en infecciones respiratorias catarrales. Puede emplearse en baños de asiento en hemorroides y herpes genital. Protege la piel de radiaciones (solares y otras), por lo que podemos emplearlo para prevenir quemaduras solares y de radioterapia, así como reducir el impacto sobre el organismo de la exposición a rayos X (radiografías, escáneres de aeropuerto), aplicándolo sobre la zona de exposición durante los días anteriores al mismo (todos los que se pueda o sepa).
> **Notas para mezclas**
> Nota alta, de inferior intensidad al árbol del té. Mezcla bien con los mismos aceites esenciales.

Cardamomo
(*Elettaria cardamomum*)

Esta refrescante y deliciosa especia oriental, muy empleada en cocina, proporciona un aceite esencial de aroma picante, suave y muy refrescante, cuyo balsámico aroma se considera afrodisíaco y revigorizante.

> **Familia botánica:** Zingiberáceas.
> **Destilado de:** Fruto-semillas.
> **Usos caseros:** En general, todas las especias suelen tener un buen efecto sobre el aparato digestivo, esta no es una excepción: indigestiones, cólicos, flatulencias, mal aliento. Podemos emplear este luminoso aroma en fatiga mental y nerviosa.
> **Notas para mezclas**
  Nota media de intensidad aromática muy alta. Mezcla bien con el resto de especias, maderas, resinas, cítricos, flores, jara, geranio, lavanda y resto de herbales.

Canela (corteza)
(*Cinnamomum zeylanicum*)

Este aceite esencial, de extraordinarias propiedades terapéuticas en aromaterapia, proviene del sudeste asiático (Ceylán, India) y Madagascar. De las hojas se obtiene un aceite esencial de inferior calidad y aplicaciones, pero también válido en aromaterapia. El aroma es exquisito, muy cálido, especiado, fragante y poderoso, que nos recuerda al gusto que deja la canela en rama en los alimentos. Tiene propiedades muy extensas, pero sobresale por su efecto antibiótico natural potente, su efecto tonificante-estimulante, así como afrodisíaco (especialmente para hombres). Yo lo considero como el arquetipo de aceite esencial *YANG* (fuego-calor).

> **Familia botánica:** Lauráceas.
> **Destilado de:** Corteza de las ramas.
> **Usos caseros:** Impotencia funcional masculina (masaje diluido en bajo vientre), cansancio, fatiga, somnolencia; problemas digestivos: infecciones, diarreas, disenterías, parásitos, gases —lamentablemente, en estos casos, en uso casero vemos limitadas las aplicaciones a masajes externos que no llegan a la efectividad de los tratamientos de la medicina aromática por vía interna, pero que solo deben aplicar médicos u aromatólogos capacitados—; celulitis (efecto calor), mala circulación, miembros fríos.
> **Contraindicaciones:** Este es un aceite esencial dermocáustico. Si se emplea sin diluir correctamente, puede producir irritaciones o quemaduras. No pasar del 1% en los preparados de masaje. Diluir bien en baños. Precaución en las aplicaciones por difusión aérea: puede irritar los ojos si se utiliza en demasiada cantidad. No usar en bebés ni en niños pequeños.
> **Notas de mezcla**
  Nota media-baja, de intensidad aromática alta. Vigilar la cantidad, por su potencia «domina» con facilidad al resto de notas, usar pocas gotas si lo que se quiere conseguir es que el aroma esté presente, pero no lo domine todo.
  Mezcla bien con cítricos, resinas y especias.

Cedro Atlas
(*Cedrus atlantica*)

Este aceite esencial proviene de la cordillera del Atlas, en el norte de África (Marruecos, Argelia),

aunque podemos encontrarlo también en jardines de todo el mundo. Tiene un aroma amaderado, pero con muchos matices (incluso de tipo cítrico-efervescente) se emplea bastante en aromaterapia estética por sus propiedades anticelulíticas y drenantes, así como reguladoras de la piel grasa.

> **Familia botánica:** Pináceas.
> **Obtenido de:** Destilación de las ramas-hojas-frutos.
> **Usos caseros:** Pieles grasas, acnés, caspa, infecciones por hongos; artrosis y artritis, reumatismo; tos, bronquitis y resfriado; celulitis y retención de líquidos. Repelente de polillas (protege la ropa de forma natural).
> **Contraindicaciones:** Bebés y embarazadas (es neurotóxico y abortivo por vía interna).

Cedro Virginia
(*Juniperus virginiana*)

Este árbol, llamado cedro, como puede verse por su nombre botánico, realmente es de la familia de los enebros y cipreses, pero su aceite esencial tiene un delicioso y muy seco y amaderado aroma, que lo hace muy apreciado como nota masculina o amaderada natural, de bajo coste (el sándalo es cada día más caro y escaso). Su aroma es sereno y poderoso.

> **Familia botánica:** Cupresáceas
> **Destilado de:** Madera-tronco-serrín.
> **Usos caseros:** Varices, hemorroides, mala circulación.
> **Notas aromáticas para mezclas**
  Nota de fondo o base, de intensidad aromática media. Mezcla bien con el resto de aceites esenciales. Es un aceite esencial económico. En invierno solidifica a bajas temperaturas.

Cilantro/Coriandro
(*Coriandrum sativum*)

Esta especia que invoca platos exóticos y sabores orientales proporciona un aceite esencial de aroma picante y especiado, estimulante y cálido.

> **Familia botánica:** Umbelíferas.
> **Destilado de:** Semillas.
> **Usos caseros:** Artritis y reuma, dolores musculares, neuralgia facial; problemas circulatorios, problemas digestivos; resfriados y gripes; fatiga mental y nerviosa.
> **Notas aromáticas para mezclas:**
  Nota de salida: media de intensidad media.
  Mezcla bien con especias, jara, cítricos, flores, maderas, resinas.

Ciprés
(*Cupressus sempervirens*)

Árbol común en la cuenca mediterránea, proporciona un aceite esencial muy empleado y apreciado en aromaterapia. Tiene un aroma balsámico y fresco, pero con un contundente y rasposo tono de fondo que lo hace muy particular.

> **Familia botánica:** Cupresáceas.
> **Destilado de:** Ramas-hojas-frutos.

> **Usos caseros:** Pieles grasas, acné; especialmente eficaz en problemas circulatorios: varices, hemorroides, mala circulación, pies y piernas cansadas; dolores musculares.
> **Notas para mezclas**
  Nota media-baja, intensidad aromática alta.
  Mezcla bien con cítricos, resinas, maderas, herbales.

Enebro (bayas)
(*Juniperus communis*)

Este arbusto común en muchos lugares del mundo, proporciona un exquisito y apreciado líquido de sus bayas: la ginebra. Pero en aromaterapia, trabajamos con el aceite esencial, con aroma fresco, resinoso y característico que nos recuerda al licor. Es un aroma reconfortante, estimulante y vigorizante. También se destila aceite esencial de las ramas con bayas, pero este contiene sustancias perjudiciales para los riñones, por lo que es especialmente contraindicado en medicina aromática por vía interna.

> **Familia botánica:** Cupresáceas.
> **Destilado de:** Bayas.
> **Usos caseros:** Pieles grasas, cabello graso, acné; hemorroides; celulitis; artritis y reuma, problemas musculares; problemas menstruales.
> **Notas para mezclas**
  Nota media de alta intensidad aromática.
  Mezcla bien con cítricos, resinas, maderas, herbales.

Espliego
(*Lavandula latifolia*)

El espliego es una de las especies de la familia de la lavanda, muy abundante en la península Ibérica y norte de África. Tiene un aroma herbal muy agradable, fresco, intenso, alegre. Su efecto general es tonificante y estimulante, y no debe confundirse con la lavanda (*Lavandula angustifolia*), de efecto totalmente contrario. Esta planta vive en altitudes más bajas que la lavanda, en zonas intermedias donde se encuentran ambas especies, se hibridan dando lugar a los LAVANDINES o LAVANDINOS. El ser humano también ha creado mediante cruces estos híbridos que son más resistentes, fáciles de cultivar y productivos que sus «padres».

> **Familia:** Lamiáceas.
> **Destilado de:** Tallo-hoja-flor.

> **Usos caseros:** Tos, resfriados, gripes; quemaduras (aplicar puro en el momento); acné, pie de atleta; reuma; falta de energía.
> **Notas para la mezcla**
  Nota de salida de intensidad aromática media-alta.
  Mezcla bien con el resto de notas herbales, cítricos, especias, maderas y resinas.

Eucalipto
(*Eucalyptus globulus*)

Originario de Australia, actualmente prácticamente no se produce allí su aceite esencial; existen más de 300 especies de eucaliptos y muchos de ellos se encuentran en el continente australiano. El eucalipto globulus se empezó a cultivar masivamente tanto en Europa como en China, Brasil y EE.UU. hace muchos años, tanto para desecar zonas pantanosas como para obtener madera rápida, ya que es un árbol que en condiciones adecuadas crece con suma rapidez. El aceite esencial es muy conocido y empleado por sus propiedades respiratorias. Normalmente el aceite esencial se RECTIFICA, es decir, se le quitan una serie de componentes y concentra en el que interesa a la industria, el 1.8 cineol. En aromaterapia nos interesa la calidad pura, sin rectificar, porque contiene todas las moléculas aromáticas que la naturaleza da (eucalipto crudo). Su aroma es intenso, balsámico, muy fresco, y lleno de matices aromáticos al no estar rectificado.

> **Familia botánica:** Mirtáceas.
> **Obtenido por destilación de:** Ramas-hojas-semillas.
> **Usos caseros:** Amigdalitis, rinofaringitis, laringitis (en gargarismos); gripe, otitis, sinusitis, bronquitis (en masaje en el pecho y espalda y vahos); dermitis (masaje); repelente de insectos (difusión aérea).
> **Contraindicaciones:** No usar en bebés ni niños de menos de 3 años. Es excesivamente broncodilatador y podría producir una asfixia. Para

ellos se emplea el aceite esencial de *Eucaliptus radiata*.

› **Notas para la mezcla**

Nota de salida: Intensidad aromática alta.

Mezcla bien con maderas, resinas, cítricos y otros herbales.

Eucalipto radiata
(*Eucalyptus radiata*)

Este es el aceite esencial de eucalipto más empleado actualmente en aromaterapia anglosajona por su suavidad y efectividad. Tiene un aroma muy agradable, limpio y balsámico, que inunda los pulmones al respirarlo, más frío y menos complejo que el *Eucalyptus globulus*.

› **Familia botánica:** Mirtáceas.
› **Obtenido por destilación de:** Ramas-hojas-semillas.
› **Usos caseros:** Rinitis, faringitis; gripe (muy bueno), otitis, sinusitis, bronquitis, tos; acné.
› **Notas para la mezcla**

Nota de salida. Intensidad aromática alta.

Mezcla bien con maderas, resinas, cítricos y otros herbales.

Geranio chino
(*Pelargonium* × *asperum*)

Existen varios tipos de *Pelargonium*, e híbridos. Este es conocido también como «Geranio rosa», y se parece al «Geranio Egipto», pero desde mi punto de vista, tiene un aroma ligeramente más delicado y floral, por lo que lo prefiero (lo que es algo personal, claro). Planta nativa de África del Sur, se encuentra en todo el mundo, aunque las especies que se destilan no son exactamente las mismas que se emplean en jardinería doméstica. Este aceite esencial tiene un aroma floral, verdoso y un poco terroso, que se emplea mucho en aromaterapia estética. Se considera estimulante y refrescante, incluso relajante en ciertos casos. Sería el sustituto barato de la rosa (en una escala del 1 al 10, rosa 10, geranio 4), y de hecho

se emplea entre otros componentes para las composiciones artificiales y reconstituciones de aromas de rosa.

› **Familia botánica:** Geraniáceas.
› **Destilado de:** Hojas-flor.
› **Usos caseros:** Cuidado facial, dermatosis infecciosas, acnés infectados; quemaduras; piojos; problemas menstruales; fatiga nerviosa, estrés; reumatismo.
› **Notas aromáticas para mezclas**

Nota media de intensidad aromática media.

Combina bien con lavanda, árbol del té, holeaf, cítricos, semilla de zanahoria, maderas, resinas, herbales. Desde mi punto de vista (personal) «estropea» las mezclas con las flores de alto nivel (rosa, azahar).

Incienso/Olíbano
(*Boswellia carterii*)

Arbusto nativo de zonas semidesérticas de África. Existen varias especies de «*Boswellias*». La resina que exudan las ramas y tronco ha sido recogida por el hombre desde hace miles de años para emplearla para fines religiosos y espirituales principalmente, usándola en sahumerios e inciensos en la tradición judeo-cristiana hasta la actualidad. Su aroma es realmente espectacular, induce a la serenidad y a la tranquilidad y ayuda a conectarse con las esferas espirituales (de ahí su empleo religioso y su consideración de resina sagrada). Es balsámico, dulce y un poco picante.

› **Familia:** Burseráceas.
› **Destilado de:** Resina.
› **Usos caseros:** Pieles secas y maduras; bronquitis catarral, asma; cicatrizante para heridas; depresión nerviosa; mejora el sistema inmunitario (masaje diario en todo el cuerpo); es beneficioso para niños autistas (aroma).
› **Notas para la mezcla**

Nota de base (fondo). Intensidad aromática medio-alta.

Mezcla bien con todo tipo de aceites esenciales.

Inmortal/Siempreviva
(*Helichrysum italicum* ssp. *serotinum*)

El aceite esencial de esta subespecie se produce básicamente en Córcega; existen otras especies (*Helychrisum stoechas*) que no tienen las mismas propiedades, cuidado en este sentido. Debido a su poco rendimiento y limitada producción, actualmente es un aceite esencial de precio alto. Muy potente, su aroma es tan personal y característico que lo hace inolvidable. Tiene propiedades únicas en aromaterapia, no puede sustituirse por ningún otro de sus compañeros.

> **Familia botánica:** Asteráceas(Compuestas).
> **Destilado de:** Sumidades floridas.
> **Usos caseros:** Hematomas, golpes, contusiones; preparados para el cutis regeneradores (antiarrugas, anti-envejecimiento) estrías, arrugas (junto con aceite vegetal de rosa mosqueta); mala circulación, varices; artritis y poliartritis.
> **Contraindicaciones:** Personas sensibles a las cetonas. Neurotóxico por vía interna.
> **Notas aromáticas para mezclas**
> Nota media-baja. Aroma de intensidad muy alta.
> Mezcla bien con las manzanillas, cítricos, jara, rosa, azahar, lavanda, geranios y salvias.

Jara/Cistus/Ciste
(*Cistus ladaniferus*)

Esta planta, de bellísima flor blanca con un pentagrama rojo inscrito en su interior y un sol amarillo en el centro, proporciona a las tierras sureñas de la península Ibérica un aroma delicioso indescriptible. Intenso, pasional, dulzón pero agreste, es uno de mis aceites esenciales favoritos. Tiene además, una serie de propiedades únicas que lo hacen insustituible por otros, como ocurre con el inmortal. Tradicionalmente empleado para la industria de la perfumería masculina, el estudio de sus propiedades aromaterapéuticas dio lugar a un agradable descubrimiento, es una auténtica joya. También es un aroma que no admite medianías: o te gusta, o no te gusta.

> **Familia botánica:** Cistáceas.
> **Destilado de:** Hojas-ramas.
> **Usos caseros:** Único específico para enfermedades infantiles: rubeola, escarlatina, varicela, tosferina; artritis, hemorragias; falta de energía y vitalidad.
> **Notas aromáticas para mezclas**
> Nota media-fondo, de aroma extremadamente intenso.
> Mezcla bien con todos los demás. Debido a su intensidad, vigilar las cantidades en las mezclas (comenzar probando con 1 gota).

Jengibre
(*Zingiber officinalis*)

Nativa de Asia, esta planta formidable está llena de buenos recursos sanadores para el ser humano, pasando por la gastronomía y acabando en la medicina. Considerado como panacea por la medicina ayurvédica, el aceite esencial tiene un aroma fresco, especiado, intenso. Se lo considera como afrodisíaco.

> **Familia:** Zingiberáceas.
> **Destilado de:** Raíces.
> **Usos caseros:** Tónico digestivo, inapetencia, gases, estreñimiento; tónico sexual, afrodisíaco (impotencia); reumatismo; bronquitis.
> **Notas aromáticas para mezclas**
>
> Nota media-baja. Aroma extremadamente intenso.
>
> Mezcla bien con maderas, especias, cítricos, resinas y flores.

Lavanda
(*Lavandula angustifolia*)

De orígenes geográficos distintos (Francia, Reino Unido, Bulgaria), su cultivo se ha extendido por todo el mundo, por lo que podemos encontrarla en cualquier lugar cuyo clima y geografía sean adecuados para su crecimiento. Es el primer aceite esencial incorporado en aromaterapia, el que ha sido más consumido hasta hace relativamente poco tiempo (ahora desbancado por el árbol del té), y uno de los más versátiles y amigables para uso casero. Su aroma es floral-herbáceo y su efecto básicamente calmante y relajante. A veces encontramos notables diferencias aromáticas entre los distintos orígenes y lotes. Se considera como uno de los aceites esenciales más seguros e incluso suele aplicarse puro sin diluir (salvo en las zonas en las que nunca debe hacerse) con frecuencia (Ver capítulo de *Precauciones*..., pag. 16).

> **Familia botánica:** Lamiáceas (Labiadas).
> **Destilado de:** Sumidades floridas.
> **Usos caseros:** Nerviosismo, angustia, insomnio; dermatosis, úlceras de decúbito, quemaduras, picores, heridas; contracturas, calambres; todo tipo de pieles, acné, inflamaciones, caspa, picaduras de insectos y medusas (muy eficaz).
> **Notas aromáticas para mezclas**
>
> Nota media, media alta y alta media. Aroma de intensidad media.
>
> Mezcla bien con el resto de aceites esenciales Por estas características, a veces se conside-

ra como «comodín» que sirve para «redondear» cualquier mezcla. He oído que algunos incluso dicen (no estoy de acuerdo) que cualquier mezcla debe de llevar obligatoriamente lavanda.

Lemongrass
(*Cymbopogon flexuosus*)

Planta originaria de Asia tropical, actualmente cultivada en muchos lugares. Es familia de la palmarrosa y la citronela. Todas ellas son plantas muy abundantes con buenos rendimientos en aceites esenciales, por lo que sus aceites esenciales han de ser de precio relativamente bajo en comparación con otros. Tiene un aroma muy agradable, con tonos limón (de ahí su nombre, *hierba limonera* o *lemongrass*), con efecto refrescante y estimulante. Suele usarse para elaborar reconstituciones de verbena (*Verbena officinalis*) y hierbaluisa (*Lippia citriodora*), plantas con mucho menor rendimiento en aceites esenciales y de precio infinitamente mayor.

> **Familia botánica:** Poáceas (Gramíneas).
> **Destilado de:** Hojas-tallo.

> **Usos caseros:** Pequeños problemas digestivos y hepáticos; masaje –efecto calor–, celulitis; artritis; sedante.

> **Precauciones:** Puede ser irritante en uso externo, vigilar la concentración y no pasar del 1%. Combinado con aceite esencial de limón, podemos bajar ese efecto irritante.

> **Notas aromáticas para mezclas**
> Nota media-alta: Intensidad aromática alta.
> Mezcla bien con cítricos, especias, herbales, resinas y maderas.

Lima (limón en Latinoamérica)
(*Citrus aurantifolia Swing.*)

Este aceite esencial no tiene unas propiedades que lo hagan especialmente superior a otros, pero... a la hora del aroma ¡Es único! Su delicioso aroma cítrico-ácido-efervescente le da un carácter único entre los cítricos. Hablamos de la calidad exprimida, la destilada es una pobre y triste sombra, que no recomiendo en aromaterapia, aunque como sabemos, es la preferida de nuestros amigos anglosajones por ser mucho menos fotosensiblizante.

> **Familia botánica:** Rutáceas.

> **Obtenido por:** Raspado y centrifugación de la cáscara del fruto.

> **Usos caseros:** Ansiedad, nerviosismo, depresión; problemas circulatorios; *cocktails* y combinados (el mojito y la caipiriña no son nada sin ella...).

> **Precauciones:** Muy fotosensibilizante. Mantener las precauciones conocidas en estos casos.

> **Notas aromáticas para mezclas**
> Nota alta: Intensidad aromática alta.
> Mezcla bien con cítricos, especias, herbales y azahar e *ylang-ylang*.

Limón
(*Citrus limon*)

Estas propiedades se refieren a la calidad exprimida, no a la destilada, muy inferior, como todas las de cítricos que puedan ser obtenidas de ese modo. Principalmente se produce en Argentina, Italia, España, Israel, California. Es un aceite esencial muy apreciado que se emplea muchísimo en la industria alimentaria y de bebidas, entre otras. En los últimos años ha sufrido un incremento de precio brutal, pasando de ser uno de los más económicos junto a la naranja, a dejar de serlo. Su aroma es refrescante, ligeramente ácido, muy agradable. En difusión ambiental es un excelente desinfectante que además proporciona una atmósfera sumamente alegre y agradable.

> **Familia botánica:** Rutáceas.

> **Obtenido de:** Raspado y centrifugado de la cáscara del fruto.

> **Usos caseros:** Limpieza del aire y ambientador natural; infecciones respiratorias; pequeñas insuficiencias hepáticas (masaje en la zona del hígado); pequeñas insuficiencias digestivas (masaje en la zona del abdomen); insomnio; mala circulación; preventivo de contagios en épocas de enfermedades –difusión aérea–;

mejora la memoria, concentración y retentiva (aroma); manchas de la piel (junto con aceite vegetal de rosa mosqueta).

> **Contraindicaciones:** Como todos los cítricos, fotosensibilizante, observar las precauciones habituales.

> **Notas aromáticas para mezclas**

Nota alta de intensidad aromática media.

Mezcla bien con cítricos, herbales, especias, resinas, maderas y flores.

Mandarina
(*Citrus reticulata blanco* var. *mandarine*)

Este maravilloso cítrico, de sabor delicioso, también nos otorga y regala un aceite esencial con un olor francamente rico. Muy alegre, dinámico, fresco, luminoso, tal vez sea el aceite esencial cítrico más dulce y sonriente. Según la época del año, el color del aceite esencial puede ser desde amarillo-naranja a verde intenso. Como todos los aceites esenciales de cítricos, con el paso del tiempo, va perdiendo aroma y el color se va haciendo más pálido, incluso los que son de calidad presentan pre-

cipitados en el fondo de la botella, como los vinos, pero ello no indica que el aceite esencial se haya echado a perder, como dicen algunos, ni que haya que dejar de usarlo. Es cierto que han perdido potencia aromática, pero podemos seguir disfrutando de sus propiedades y no desecharlos.

> **Familia botánica:** Rutáceas.

> **Obtenido por:** Raspado y centrifugado de la cáscara del cítrico.

> **Usos caseros:** Insomnio, angustia, excitación; aerofagias; disneas; estrías (preventivo junto con aceite vegetal de rosa mosqueta). En uso ambiental para crear atmósferas de alegría y bienestar (solo y mezclado con otros cítricos).

> **Contraindicaciones:** Fotosensibilizante.

> **Notas aromáticas para mezclas**

Nota alta de intensidad aromática baja.

Mezcla bien con cítricos, herbales, especias, resinas, maderas y flores.

Manzanilla romana
(*Anthemis nobilis, Chamaemelum nobile*)

Uno de los aceites esenciales más seguros que empleamos en aromaterapia. La dosis letal (vía oral) de este aceite esencial para un adulto de 70 kg es de 666 ml, así que hay que imaginarse que la mínima cantidad que se introduce en el torrente sanguíneo en las dosis normales que trabajamos en aromaterapia (1-2%), lo hacen tan seguro que suele emplearse tanto en embarazadas como en bebés y niños pequeños con mucha seguridad. Solo puede haber problemas por malas identificaciones botánicas (hay empresas que comercializan como «manzanilla» aceites esenciales muy tóxicos por vía interna, como la manzanilla real en España [*Santolina chamaecyparissus*], que no tiene nada que ver ni en propiedades ni en aroma ni en precio o la ormenis mixta o manzanilla de Marruecos, de propiedades distintas, también mucho más barata) voluntarias o involuntarias, pero esto no ocurre con las marcas de calidad que conocen lo que llevan entre manos y que son referencias serias en el mundo de la aromaterapia.

Su aroma es muy fresco, herbal e intenso, de propiedades sedantes-relajantes.

> **Familia botánica:** Asteráceas.
> **Obtenido de:** Destilación de la flor-hierba.
> **Usos caseros:** Todo tipo de pieles (incluso sensibles); estrés, insomnio, tensión nerviosa; asma; relajación en general.
> **Notas aromáticas para mezclas**
  Nota media de intensidad aromática muy alta. Mezcla bien con herbales, semilla de zanahoria, inmortal y flores.
  Por su intensidad aromática, conviene no poner demasiadas gotas en las mezclas si no se desea que este sea uno de los aromas dominantes.

Mejorana dulce/francesa
(*Origanum majorana*)

Este orégano (ver denominación botánica) es muy apreciado en aromaterapia por sus propiedades sedantes y relajantes, y hay quien asegura que también anafrodisíacas (no-afrodisíacas). Tiene un aroma herbal dulce muy agradable.

> **Familia botánica:** Labiadas.
> **Obtenido por:** destilación de la sumidad florida (hojas-tallo-flor).
> **Usos caseros:** Disneas, ronquidos; estrés, nerviosismo, ansiedad; obsesiones sexuales; dolores musculares y reumáticos; infecciones respiratorias; infecciones digestivas.
> **Notas aromáticas para mezclas**
  Nota media-alta, de intensidad aromática baja. Mezcla bien con cítricos, maderas, herbales y semillas de zanahoria.

Mejorana española
(*Thymus mastichina*)

Aquí tenemos otro ejemplo de «mejorana», que realmente es un «tomillo» (ver nombre botánico). Se le llama «mejorana española» por ser propia de este país. Como su precio es inferior al de *Origanum majorana*, suele venderse como tal, simplemente poniendo en el etiquetado «mejorana». Esto no quiere decir que sea de inferior calidad o que no tenga aplicaciones, sino que se está aplicando mal porque tiene propiedades distintas. En concreto, este aceite esencial es muy bueno como anticatarral y expectorante, tienen un carácter eminentemente estimulante-tonificante, es decir todo lo contrario que suele buscarse en la «mejorana» en aromaterapia (sedante-relajante). Su aroma es herbal, intenso y agreste, recuerda al eucalipto por su alto contenido en 1.8 cineol (55-75%).

> **Familia botánica:** Labiadas.
> **Obtenido por:** Destilación de las sumidades floridas.
> **Usos caseros:** Catarro, gripe, resfriado, sinusitis, bronquitis.
> **Notas aromáticas para mezclas**
  Nota media-alta de intensidad aromática alta.

Mezcla bien con herbales, cítricos, maderas y resinas.

Menta piperita
(*Mentha × piperita*)

Tal vez sea el aceite esencial más conocido, porque lo tenemos en muchas cosas: bebidas, dulces, golosinas, alimentos... Sin embargo, de igual modo que ocurre con el eucalipto, suele emplearse para estos productos el aceite esencial rectificado, para concentrarlo en mentol y eliminar otras moléculas no deseadas para la industria.

En aromaterapia trabajamos con la calidad pura, no rectificada, más rica en matices aromáticos y con todos los componentes íntegros. Posiblemente este sea el aceite esencial más *YIN* (frío-húmedo) que usamos en aromaterapia.

Tiene un aroma sumamente intenso y refrescante, estimulante.

> **Familia botánica:** Labiadas.
> **Obtenido por:** Destilado de las sumidades floridas (hojas-flores).

> **Usos caseros:** Indigestión, vómitos, mareos –transportes–; aerofagias; migrañas, dolores de cabeza; herpes zoester, ciática; picores del eccema; su aroma facilita el parto, mejora la concentración, memoria y aprendizaje.
> **Contraindicaciones:** Bebés y niños de menos de 30 meses. En uso externo es muy irritante en estado puro. Vigilar muy bien las diluciones y no pasar del 1% para mayor seguridad. Si se realizan vahos o difusión de este aceite esencial es muy fácil que los ojos se irriten (y mucho en el caso de vahos), por lo que este tipo de aplicación puede ser bastante peligroso.
> **Notas aromáticas para mezclas**
> Nota de salida de muy alta intensidad.
> Mezcla bien con bergamota y cítricos, herbales y maderas.

Mirra
(*Commyphora myrrha*)

Otra de las resinas sagradas de la antigüedad, empleada para comunicarse con las esferas espirituales y muy valoradas hasta nuestros días. Originaria de Oriente Medio y el norte de África e India, la resina de estos arbustos se recoge por sangrado.

Es un aceite esencial muy denso, de aroma resinoso-especiado particular, amargo. Con el tiempo, tiende a espesar y solidificar, en estos casos, la única forma de poder trabajarlo es mezclarle un poco de alcohol etílico.

> **Familia botánica:** Burseráceas
> **Obtenido por:** destilación de la resina.
> **Usos caseros:** Meditación, relajación –en difusión–; preparados anti-edad; cicatrices, heridas, arrugas; gingivitis, úlceras bucales; úlceras cutáneas, anafrodisíaca.
> **Notas aromáticas para mezclas**
> Nota baja de intensidad aromática alta.
> Mezcla bien con el resto de aceites esenciales.

Mirto
(*Myrtus communis*)

Este arbusto proporciona un aceite esencial de aroma alcanforado, dulce y muy agradable.

El de producción francesa (Córcega) es de color amarillento-verde, y precio alto, el de Marruecos, de color rojizo y precio mucho más económico que el francés.

> **Familia botánica:** Mirtáceas.
> **Obtenido de:** Destilación de ramas-hojas.
> **Usos caseros:** Pieles grasas, acné; catarros, bronquitis, tos, resfriados; ambientadores desinfectantes del aire. El mirto verde tiene propiedades específicas contra el insomnio, la amenorrea, pieles arrugadas y cejas y pestañas débiles. El mirto rojo tiene propiedades específicas para las hemorroides, varices y dismenorreas.
> **Notas aromáticas para mezclas**
> Nota alta-media, intensidad aromática media.
> Mezcla bien con cítricos, herbales y especias.

Naranja dulce
(*Citrus sinensis*)

Actualmente, el aceite esencial más económico que podemos encontrar. Es un subproducto de la industria del cítrico, que procesa millones de kg para la industria de zumos y bebidas, por lo que su precio sigue siendo muy asequible. Existen varias calidades, se aprecian más las calidades mediterráneas (España, Italia, Francia, Israel), aunque también se produce en EE.UU. y Brasil en grandes cantidades. Como en todos los cítricos, existen calidades inferiores (destiladas) que no son recomendables para nuestros usos, aunque puedan ser todavía más económicas. Tiene un aroma muy agradable, refrescante y alegre, por su precio, sería el aceite esencial más recomendable para usar en difusión ambiental sin invertir demasiado dinero en ello.

> **Familia:** Rutáceas
> **Obtenido por:** Raspado y centrifugado de la cáscara del cítrico.
> **Usos caseros:** Limpieza y desinfección del aire (difusores, *sprays*, vaporizadores); tensión nerviosa, estrés; postres y dulces.
> **Contraindicaciones:** Fotosensibilizante.
> **Notas aromáticas para mezclas**
> Nota de salida de intensidad aromática media.
> Mezcla bien con los otros cítricos, herbales, especias, maderas y resinas y azahar.

Nardo índico
(*Nardostachys jatamansi*)

El nombre de esta planta (Nardo índico) no debería hacer que lo relacionemos con el típico nardo de jardinería que conocemos y que tiene un aroma floral embriagador. En este caso, el aceite esencial se obtiene de las raíces, y como tal, tiene un aroma característico intenso, terroso, denso y muy agradable (para mi gusto, claro), de propiedades calmantes, relajantes. Este es, con toda seguridad, el «nardo bíblico», con el que se ungían profetas, reyes y sacerdotes en aquellos tiempos, y que en la Biblia se nombra en el Cantar de los Cantares (1:2, 4:13,14) y los Evangelios: Mateo 26:7, Marcos 14:3; Lucas 7:37 y Juan 12:3. Es un aceite esencial muy especial, poco conocido y aplicado, pero muy a tener en cuenta, especialmente en enfoques y trabajos de tipo espiritual y energético.

> **Familia botánica:** Valerianáceas.
> **Obtenido de:** Destilación de las raíces (rizomas).
> **Usos caseros:** Estrés, ansiedad, insomnio (aplicar en el plexo cardiaco, solar y sacro, es decir en los chacras 4, 3 y 1); indigestiones de origen nervioso; psoriasis; varices, hemorroides.
> **Notas aromáticas para mezclas**
  Nota de base de intensidad aromática alta. Mezcla bien con todos los demás aceites esenciales.

Niaulí
(*Melaleuca quinquenervia*)

Otra Melaleuca, familia del árbol del té, también de origen australiano, con propiedades características y diferenciales. Su aroma es característico de esta familia, alcanforado, refrescante, balsámico y medicinal.

> **Familia:** Mirtáceas.
> **Obtenido de:** destilación de las hojas-ramas.
> **Usos caseros:** Artritis, varices, hemorroides; sinusitis, bronquitis; herpes genital, infecciones vaginales; psoriasis, picaduras de mosquitos, forúnculos, heridas infectadas, arrugas; pieles muy secas y arrugadas; preventivo en radioterapia en la zona a irradiar (radiografías).
> **Contraindicaciones:** En dosis normales, desconocidas, pero trabajarlo con prudencia en embarazadas y niños pequeños.
> **Notas para mezclas**
  Nota de salida: intensidad aromática muy alta. Mezcla bien con espliego, ciprés, salvias, coriandro, eucaliptos, limón y otros cítricos, lavanda, geranio, palmarrosa, enebro, mejorana, romero, pino.

Orégano
(*Origanum compactum Bentham*)

Este potentísimo aceite esencial es uno de los «pesos pesados» de la aromaterapia como antibiótico natural. De aroma muy especiado e intenso, herbal y balsámico, es un aliado excelente a tener en nuestro botiquín casero para ser empleado con precaución y cuidado.

> **Familia:** Labiadas.
> **Destilación:** De la sumidad florida (tallo-hoja-flor).
> **Usos caseros:** Acnés, hongos, abscesos, sarna, tiña; bronquitis, anginas, gripes, sinusitis; infecciones digestivas; paludismo y tifus; astenias profundas, fortalecedor nervioso.
> **Contraindicaciones:** Dermocáustico. Debe emplearse siempre teniendo en cuenta las medidas de seguridad para este tipo de aceite esencial, no emplear nunca puro.
> **Notas aromáticas para mezclas**
  Nota de corazón-salida: intensidad aromática media. Mezcla bien con clavo, cardamomo, cilantro, cítricos, geranio, lavanda, pachulí, *petit-grain*, sándalo.

Pachulí
(*Pogostemon cablin*)

Planta originaria de Malasia y cultivada en India, China y América del Sur, proporciona la nota más persistente y pesada que usamos en aromaterapia. En efecto, el pachulí es muy persistente, por ello es un excelente fijador o nota de fondo que, empleada correctamente, puede proporcionarnos mezclas muy hermosas. Este aceite de color marrón oscuro, va haciéndose más denso y oscuro a medida que pasan los años, y ganando en aroma y calidad del mismo modo que los mejores vinos en barricas de roble.

Se lo considera como un buen afrodisíaco y estimulante. Tiene asociada mala fama desde la época *hippie*, ya que se abusó de él. La gente, en lugar de lavarse e higienizarse periódicamente, lo que hacía era cubrir el mal olor con este aceite esencial que en la India se empleaba para aromatizar ropa. Si examinamos la situación, estaban usando para enmascarar un mal olor ¡un fijador, algo que lo mantiene!, es decir, que la mezcla debía ser explosiva. Mucha gente tiene asociado este olor a suciedad, descuido y falta de higiene, pero eso es algo muy injusto para este noble aceite esencial; hay que probarlo bien para después opinar.

> **Familia:** Labiadas.
> **Obtenido de:** Destilación de las hojas fermentadas.
> **Usos caseros:** Eczemas seborreicos, acné, dermatosis, grietas en la piel, desgarros, parásitos; hemorroides, varices; estimulante ligero (somnolencia), afrodisíaco; repelente de insectos.
> **Notas aromáticas para mezclas**
   Nota de fondo extremadamente intensa y MUY PERSISTENTE.
   Mezcla bien con el resto de aceites esenciales en general.

Palmarrosa
(*Cymbopogon martinii*)

De la familia del *lemongrass* y la citronela, la palmarrosa también es un aceite esencial bastante abundante y económico. Producido en África, Indonesia, Madagascar, tiene un aroma con un cierto toque rosáceo (de ahí el nombre común), que lo hace muy afín a los geranios, lavandas y rosas en las mezclas. Sin embargo, por mi experiencia, posiblemente es el mejor fungicida específico de todos los aceites esenciales con los que solemos trabajar, muy por encima del reputado árbol del té.

> **Familia botánica:** Gramíneas.
> **Obtenido de:** Destilación de la mata (tallo-hoja-flor).
> **Usos caseros:** Sinusitis, otitis, bronquitis; infecciones vaginales; acnés, eczemas secos; faringitis; hongos (pie de atleta, hongos en dedos y uñas, solo o combinado con aceite esencial del árbol del té).
> **Notas aromáticas para mezclas**
   Nota media-baja de intensidad aromática alta. Mezcla bien con maderas, resinas, cítricos, herbales, especias, vetiver, *petit-grain* y azahar.

Petit-grain naranjo
(*Citrus aurantium* var. *amara*)

Aunque existen varios tipos de *petit-grain* (este término engloba todos los aceites esenciales obtenidos por destilación de la hoja de un cítrico), el más empleado en aromaterapia es el del naranjo. Tradicionalmente y desde la época de la perfumería antigua, se le denomina *petit-grain bigarade*. Podemos encontrar de bergamota, limonero, mandarino... (precisamente este último es el mejor anti-estrés de todos). Su aroma es muy agradable, cítrico, un poco ácido, refrescante y estimulante. Se emplea mucho para crear reconstituciones de azahar entre otras cosas.

> **Familia botánica:** Rutáceas.
> **Obtenido de:** Destilación de las hojas.
> **Usos caseros:** Acnés infectados, forúnculos; reumatismos; infecciones respiratorias; reequilibrante nervioso.
> **Notas aromáticas para mezclas**
  Nota alta-media, de intensidad aromática moderada.
  Mezcla bien con cítricos, maderas, resinas, herbales, especias y flores.

Pimienta negra
(*Piper nigrum*)

> **Familia botánica:** Piperáceas.
> **Obtenido de:** Destilación de la semilla.

Planta nativa de India y actualmente cultivada en Malasia, Madagascar y China. El aceite esencial se obtiene de las semillas que usamos también en cocina, secas. De color pálido y aroma fuertemente especiado casi idéntico al de la semilla de la que se obtiene, tiene un efecto calorífico y estimulante particular.

> **Usos caseros:** Mala circulación (sobre todo extremidades); dolores musculares y articulares;

falta de tono muscular, reuma, artritis, artrosis; falta de apetito, malas digestiones, náuseas; catarros, tos; odontalgias; afrodisíaco.
> **Notas aromáticas para mezclas**
  Nota media-baja, de intensidad aromática alta.
  Mezcla bien con el resto de especias, cítricos, resinas, maderas, herbales y flores.

Pino silvestre
(*Pinus sylvestris*)

Árbol muy común. De aroma muy balsámico, acre, seco y que puede recordar a pinturas y disolventes (la trementina se obtiene de la destilación de la resina del pino). Es de uso tradicional en problemas del aparato respiratorio.

> **Familia botánica:** Pináceas.
> **Obtenido por:** destilación de las hojas (agujas).
> **Usos caseros:** Bronquitis, sinusitis, asma; artritis; inflamaciones en general; astenias (estados de baja energía).
> **Notas aromáticas para mezclas**
  Nota de alta a media de intensidad aromática alta.
  Mezcla bien con cítricos, maderas, herbales, resinas.

Pomelo
(*Citrus paradisii Macf.*)

Este es uno de los aceites esenciales de cítricos de aroma más agradable.

Tiene pocas propiedades, pero las pocas que tiene, las desenvuelve con gran potencia y eficacia.

> **Familia botánica:** Rutáceas.
> **Obtenido por:** Raspado y centrifugado de la cáscara del cítrico.
> **Usos caseros:** Pieles grasas; desinfectante aéreo de gran eficacia (preventivo de infecciones y contagios), a usar en difusores, vaporizadores, *sprays*).
> **Contraindicaciones:** Fotosensibilizante.
> **Notas aromáticas para mezclas**
> Nota de salida de intensidad aromática alta. Mezcla bien con cítricos, especias, herbales, azahar, geranios.

Romero
(*Rosmarinus officinalis*)

Esta planta, abundantísima en todo el Mediterráneo, nos ofrece un aceite esencial muy apreciado y comúnmente empleado en aromaterapia. Tiene un aroma refrescante, balsámico, herbal muy característico. Es una de las plantas medicinales más empleadas en Occidente desde hace siglos. Sin embargo, en aromaterapia, con esta planta tenemos que tener en cuenta que existen tres quimiotipos que dan a cada uno de esos aceites esenciales de romero propiedades terapéuticas distintas (quim. alcanfor, quim. 1.8 cineol y quim. verbenona).

> **Familia botánica:** Labiadas.
> **Obtenido de:** Destilación de la sumidad florida (tallo-hoja-flor).
> **Usos caseros:** Generales para los 3 quimiotipos: tonificante, estimulante, estimulante de la memoria y la concentración.
> **Específicas**
> – Quimiotipo alcanfor: contracturas musculares, dolores musculares, calambres, reumatismo muscular; hipertensión, problemas circulatorios, varices; desarreglos menstruales. **Contraindicaciones**: Neurotóxico y abortivo por vía interna. No usar en embarazadas ni bebés.
> – Quimiotipo 1.8 cineol: otitis, sinusitis, bronquitis, enfriamiento pulmonar. **Contraindi-**

caciones:** Desconocidas en dosis normales. Evitar sobredosis.

– Quimiotipo verbenona: sinusitis, bronquitis; vaginitis, bartolinitis; fatiga y depresión nerviosa, problemas digestivos y sexuales. **Contraindicaciones:** Neurotóxico, abortivo por vía interna. No usar en personas con hipersensibilidad hepática. No usar en embarazadas ni niños pequeños. Este quimiotipo es mucho más escaso y caro que los dos anteriores.

> **Notas aromáticas para mezclas**

Nota media-alta de intensidad aromática alta (mayor en quim. 1.8 cineol).

Mezcla bien con herbales, maderas, especias, cítricos, resinas, geranios.

Rosa de Damasco
(*Rosa damascena*)

Considerada como «la reina de las flores» por la cultura islámica y muy apreciada y valorada tradicionalmente por la cultura cristiana y la tradición espiritual occidental, también se le conoce con el nombre de rosa Otto, rosa de Damasco y rosa de Alejandría. Es una rosa no tan hermosa en forma como otras que el ser humano ha ido seleccionando pero, a cambio, conserva su exquisito aroma. Existe otro tipo de rosa del que se extrae un principio aromático para la perfumería en forma de concreto o absoluto: la rosa centifolia o rosa de Marruecos. Pero el aceite esencial de mayor calidad es el que proviene de la destilación al vapor de la rosa damascena. En la actualidad se produce en Bulgaria, Turquía y algo en Marruecos, hace relativamente poco tiempo se hablaba en los medios de introducir su cultivo en Afganistán para desplazar el del opio, ya que el aceite esencial es muy caro, pero creo que eso debió ser una campaña de imagen, porque seguro que con el opio ganan mucho más (y del tema nunca más se supo).

Existe también el absoluto de rosa damascena, de precio muy inferior y apreciado en perfumería, yo no aconsejo su uso en aromaterapia, el absoluto no le llega ni a la suela de los zapatos al aceite esencial destilado, las empresas que lo ponen por delante del mismo lo hacen simplemente por motivos comerciales (es más barato, ganan más), pero cualquiera que pueda trabajar con ambos podrá darse cuenta de la enorme distancia que les separa cualitativamente hablando.

Este aceite esencial es uno de los más caros del mundo, hacen falta ingentes cantidades de rosa (entre 3 y 4 toneladas de pétalos por kg de aceite esencial), y su aroma y energía son indefinibles y exquisitos. Se lo considera como el aceite esencial que representa a la perfección el ARQUETIPO FEMENINO, con todas sus cualidades. Tal vez por ese motivo, es especialmente bueno en solucionar problemas relacionados con lo femenino. A nivel espiritual, la rosa es el símbolo del AMOR, en el más grande y exquisito sentido de la palabra, el amor divino por la humanidad.

> **Familia botánica:** Rosáceas.

> **Obtenido de:** Destilación de los pétalos.

> **Usos caseros:** Tratamientos faciales para todo tipo de pieles; problemas y desarreglos menstruales; depresión; frigidez e impotencia. En general, problemas relacionados con el género femenino y con la parte femenina en el hombre. En dosis normales es un aceite esencial muy seguro.

> **Notas aromáticas para mezclas**

Nota de corazón: Intensidad aromática media-alta.

Se usa en pequeñas cantidades (1 gota por tratamiento o mezcla por lo general es suficiente). Mezcla bien casi todos los aceites esenciales, especialmente con las flores, herbales, cítricos, especias, maderas y resinas.

Sándalo blanco/Sándalo hindú
(*Santalum album*)

Este aceite esencial se obtiene de la destilación del corazón del tronco del árbol que, siendo originario de la India, actualmente también se encuentra en Indonesia y Sri Lanka. En la India, es un árbol sagrado protegido, no se puede talar hasta que tiene 30 años (unos 8 cm. de diámetro), además de estar obligada la replantación, debido a los excesos que se han cometido en el pasado y a la deforestación a que ha estado sometido. Hace algunos años que se viene avisando de un posible colapso en el suministro de este aceite esencial, al haber mucha más demanda que oferta. El precio sube ostensiblemente año a año, y es en estos momentos un aceite esencial caro. Existe un sustituto, el sándalo australiano o *Santalum spicatum*, que no es exactamente igual, pero se aproxima bastante, aunque los australianos han sido muy astutos y se encuentra al mismo precio prácticamente que el hindú. Su aroma es muy delicado, amaderado, dulzón y especiado. Desde mi punto de vista, del mismo modo que la rosa damascena es el arquetipo femenino, el sándalo es el ARQUETIPO MASCULINO en la aromaterapia. De hecho, en la India se elabora el *attar* de rosas, una exquisita mezcla de rosa y sándalo que integra las dos polaridades en un perfume embriagador.

> **Usos caseros:** Cuidados faciales (especialmente en pieles grasas, acneicas y secas, tratamientos rejuvenecedores); varices, hemorroides; neuralgias, ciática, lumbago; nerviosismo; afrodisíaco; nota amaderada para perfumes masculinos.

> **Notas aromáticas para mezclas**
  Nota de fondo de intensidad aromática baja.
  Mezcla bien con casi todos los demás aceites esenciales, especialmente rosa, flores, maderas, resinas...
  Debido a su baja intensidad aromática, se recomienda emplear más gotas que del resto de aceites esenciales si se quiere percibir su aroma.

Salvia española
(*Salvia lavandulifolia*)

Esta salvia, poco conocida en aromaterapia, es muy adecuada para problemas respiratorios. Al ser de inferior precio que las típicas empleadas (*Salvia officinalis* y *Salvia sclarea*), suele ser envasada como «aceite esencial de salvia» por empresas poco serias y poco conocedoras de la aromaterapia, con lo cual, no se obtienen los resultados esperados en los tratamientos. Su aroma es balsámico, muy fresco, recuerda al eucalipto por su alto contenido en 1.8 cineol.

> **Familia botánica:** Labiadas.
> **Destilación** de las sumidades floridas.
> **Usos caseros:** Resfriados, catarros, rinitis, sinusitis, bronquitis, gripes, enfriamientos.
> **Notas aromáticas para mezclas**
  Nota de salida-media: Intensidad aromática alta.
  Mezcla bien con herbales, cítricos, especias, maderas y resinas.

Salvia oficinal
(*Salvia officinalis*)

Este es el aceite esencial de salvia más potente y eficaz como regulador hormonal entre otras propiedades beneficiosas. En la aromaterapia anglosajona, está proscrito porque por vía interna puede tener cierta toxicidad por su contenido en cetonas, pero por vía externa es muy seguro empleándolo en las dosis normales y en los periodos de tiempo necesarios únicamente. Su aroma herbal es muy fresco, intenso y agradable.

> **Familia botánica:** Labiadas.
> **Obtenido de:** Destilación de la sumidad florida.
> **Usos caseros:** Gripes, bronquitis, sinusitis; amenorrea, dismenorrea, pre-menopausia, in-

fecciones vaginales; herpes labial; celulitis, mala circulación; desodorante.

> **Contraindicaciones:** Neurotóxico y abortivo por vía interna. No usar en embarazadas o niños pequeños. El uso de la planta en infusiones durante largos periodos de tiempo puede producir lesiones cardiacas en fetos y crisis cardiacas en adultos.

> **Notas aromáticas para mezclas**
Nota alta-media de intensidad aromática alta. Mezcla bien con herbales, cítricos, maderas, resinas, especias.

Salvia romana
(*Salvia sclarea*)

También se la conoce con los nombres de amaro, salvia clara y salvia moscatel. Tiene un aroma más seco y apagado que la salvia oficinal, pero también es muy agradable. Es la que se emplea en aromaterapia anglosajona, por ser beneficiosa como reguladora hormonal pero sin las contraindicaciones de la salvia oficinal.

> **Familia botánica:** Labiadas.
> **Obtenido de:** Destilación de la sumidad florida.
> **Usos caseros:** Desarreglos menstruales, síndrome premenstrual, infecciones vaginales;

afrodisíaco; euforizante; problemas circulatorios, varices, hemorroides; fatiga nerviosa.

> **Contraindicaciones:** Mastosis (afecciones benignas no inflamatorias de la mama), cancerosos.

> **Notas aromáticas para mezclas**
Nota media-baja, intensidad aromática media. Mezcla bien con cítricos, maderas, herbales, resinas, azahar, vetiver, pino.

Tomillo
(*Thymus vulgaris*)

Esta maravillosa planta, muy abundante en la zona mediterránea, resistente y adaptable a todo tipo de terrenos, es, en palabras del Dr. Pénoël, un «árbol en miniatura». De hecho, se realizan magníficos «bonsáis» con ella. Tal vez sea la planta que más quimiotipos produce en aromaterapia. Esto se debe a su versatilidad y su resistencia, su capacidad de adaptarse al medio como pocas y sintetizar de suelo, aire, agua y sol, los nutrientes necesarios para realizar la alquimia de transformar la luz en materia, común en el reino vegetal gracias a la fotosíntesis. El aceite esencial tiene un aroma muy intenso,

picante, especiado, que puede variar bastante en función del quimiotipo. Existen más quimiotipos (tujanol, geraniol, 1.8 cineol), pero los que nombramos son los más empleados y fáciles de conseguir a un precio razonable. También hay otras especies de tomillos que producen aceites esenciales (*Thymus mastichina*, *Thymus satureioides*, *Thymus serpyllum*), que no hay que confundir con este.

> **Familia botánica:** Labiadas.
> **Obtenido por:** Destilación de la sumidad florida.
> **Usos caseros:** Común a todos los quimiotipos: estimulante, tonificante, vigorizante, antibiótico natural de primer orden.
> **Específicos**
  − Quimiotipo timol: antiinfeccioso mayor, tónico general. **Contraindicaciones:** Dermocáustico.
  − Quimiotipo paracimeno: antálgico, reuma, artrosis. **Contraindicaciones:** Desconocidas.
  − Quimiotipo linalol: infecciones digestivas; infecciones renales y genitales; infecciones respiratorias; fatiga nerviosa; reumatismos; psoriasis, verrugas. Acné. **Sin contraindicaciones en dosis normales.**
> **Notas aromáticas para mezclas**
  Nota de corazón-salida: intensidad aromática alta.
  Mezcla bien con herbales, especias, cítricos, geranio, lavanda, pachulí, *petit-grain*, sándalo.

Vetiver
(*Vetiveria zizanoides*)

La raíz de esta hierba de apariencia humilde nos proporciona un aceite esencial con una intensidad y personalidad únicas. Originaria de India, Indonesia y Sri Lanka, también se cultiva en regiones tropicales. En las islas Reunión y Comoras existen otras variedades de vetiver de superior calidad. Es un aceite oscuro, denso, pegajoso, de aroma muy persistente con toda una gama de matices terrosos y ahumados propios de una raíz. Su aroma es calmante, caliente.

> **Familia botánica:** Gramíneas.
> **Obtenido de:** Destilación de las raíces.
> **Usos caseros:** Pieles grasas y acneicas; dolores reumáticos y artríticos; mala circulación; dolores musculares; insomnio; inmunodepresión; amenorrea, oligomenorrea.
> **Notas aromáticas para mezclas**
  Nota de fondo, de intensidad aromática alta.
  Mezcla bien con herbales, maderas, resinas, cítricos, flores.

Ylang-ylang extra
(*Cananga odorata* [Baill.] *Hook. et Thom. f. genuina*)

Este árbol tropical de maravillosas y hermosísimas flores amarillas, proviene de Filipinas, pero actualmente se cultiva en Madagascar, Reunión y Comoras, y es una de las pocas flores, junto con la rosa y el azahar, que resiste una destilación al vapor para regalarnos su embriagadora «esencia».

Existen varias calidades de *ylang-ylang* (por favor, pronunciar como ilang-ilang), nombre que en tagalo significa *flor de flores*, la mejor de todas ellas es la calidad extra o totum, con la que recomiendo trabajar. Se pueden encontrar fracciones de destilación más económicas: *ylang-ylang* 2 y 3, pero solo la extra contiene todas las moléculas que aparecen en la destilación y es la que proporciona las propiedades que buscamos. Este aceite esencial tiene un aroma floral muy intenso, que a algunas personas les recuerda el del jazmín (antiguamente le llamaban «el jazmín del pobre», ya que se empleaba en perfumería para crear este tipo de fragancias de coste bajo), este aroma puede llegar a ser embriagador o excesivo para algunas personas, por lo que conviene trabajarlo con cuidado. Tiene fama de ser el mejor afrodisíaco de todos los aceites esenciales (personalmente no estoy de acuerdo).

> **Familia:** Anonáceas.
> **Obtenido de:** Destilación de las flores.
> **Usos caseros:** Pieles grasas; taquicardias, hipertensión; frigidez, desgana sexual; insomnio, estrés, depresiones leves.
> **Notas aromáticas para mezclas**
> Nota de corazón de intensidad aromática alta.
> Mezcla bien con flores, maderas, resinas, cítricos, geranios, vetiver y especias.

Zanahoria (semillas)
(*Daucus carota*)

Nuestra querida y humilde zanahoria, además de darnos un exquisito y vitamínico alimento, también nos proporciona un raro aceite esencial de sus semillas. De olor picante y que recuerda al alcanfor, con notas de fondo exóticas, no es muy conocido ni empleado, aunque es bastante bueno como específico para ciertas cosas, como comentamos a continuación.

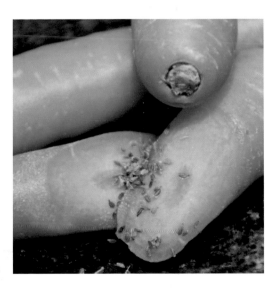

> **Familia:** Apiáceas.
> **Obtenido de:** Destilación de las semillas.
> **Usos caseros:** Insuficiencias hepáticas leves

(masaje zona hígado); insuficiencias renales leves (masaje zona renal); eczemas, forúnculos, cuperosis, caspa; revitalizante facial (todo tipo de pieles), tonificante; indigestión.

> **Notas aromáticas para mezclas**
> Nota media: de intensidad aromática alta.
> Mezcla bien con cítricos, especias, maderas, herbales, geranios y flores.
> Por su intensidad, usar en pequeñas cantidades en las mezclas hasta encontrar el equilibrio aromático.

TRATAMIENTOS

Tratamientos para problemas de la piel ... 68
Tratamientos del aparato
  respiratorio y ORL 81
Tratamientos para
  problemas circulatorios 86
Tratamientos musculares y articulares 89
Tratamientos para problemas
  menstruales y ginecológicos 91

Tratamientos para problemas de la piel

Además de sus funciones corporales, la piel también es la imagen con la que nos mostramos a los demás y contactamos con el mundo externo, así que tiene una función psicológica muy importante en el ser humano.

En muchas ocasiones, la forma más benigna que tiene el organismo de expresar un desequilibrio interno es a través de la piel, así que tal vez sea interesante considerar la posibilidad de que sofocar su expresión no es siempre la mejor de las ideas, porque entonces esa energía estancada que es la enfermedad encontrará otra vía de salida tal vez más dolorosa para la persona.

En este sentido, la aromaterapia es una aliada hermosa y muy eficaz, pero también debería tenerse en consideración la parte psicológica del asunto. Así, la psicoaromaterapia va un poco más allá de la típica clasificación enfermedad-remedio y se dirige al centro de la diana: causa profunda del desarreglo.

Aunque la orientación de esta obra pretenda ser eminentemente práctica para el día a día, me gustaría dejar abierta la ventana a todos los lectores para que consideren qué hay detrás de su problema de piel, si ese eczema es simplemente un eczema o hay un conflicto no resuelto que se expresa corporalmente de esa forma. Vamos a tomar entonces los remedios que siguen, como paliativos o ayudas momentáneas para pasar por un proceso personal, pero que no son más que el principio de algo, no la finalidad.

Acné

Según mi experiencia profesional, hay preparados que son especialmente adecuados para este tipo de problemas:

> Jabones naturales que contengan própolis –propóleo– suelen ser muy eficaces en acné (pueden encontrarse unos productos estupendos en **http://www.propolisnatural.es/**).
> Aplicaciones de árbol del té con bastoncillo de algodón en los granos de acné.
> Mascarillas de arcilla e hidrolato de azahar, con algunas gotas de aceite esencial de lavanda, geranio, árbol del té y jara. Este preparado tiene un efecto espectacular sobre el rostro.

Mascarilla antiacné

> *Arcilla blanca (caolín): 50 g*
> *Hidrolato de azahar: 50 g*
> *Aceite esencial de lavanda: 2 gotas*
> *Aceite esencial de árbol del té: 2 gotas*
> *Aceite esencial de geranio: 1 gota*
> *Aceite esencial de jara: 1 gota*
> *Glicerina vegetal: 10 g*

Mezclar la arcilla con el hidrolato hasta conseguir una pasta sin grumos. Si se observan grumos es porque falta líquido, se añade poco a poco hasta conseguir la textura adecuada. Si la mezcla queda muy líquida, tiene que añadirse arcilla poco a poco (como si salas una comida) hasta conseguir la textura de una pasta que pueda aplicarse bien sobre el rostro.

Una vez hecha la pasta, añadir los aceites esenciales y seguir removiendo.

Cuando todo esté homogéneo, añadir la glicerina y seguir mezclando, verás como va apareciendo una mascarilla de textura brillante y plástica muy bonita.

Tratamiento antiacné

> **Diario:** Limpiar mañana y noche el rostro con el jabón de própolis. Después aplicar con cuidado con un bastoncillo de algodón, un poco de aceite esencial de árbol del té sobre cada granito.
> **Semanal:** Limpiar la cara con hidrolato de azahar (templado) y un algodón limpio.

Aplicar una capa de 2 mm de espesor (±) en todo el rostro, salvo ojos, nariz y boca, o en la zona específica donde esté el acné localizado.

Dejar la mascarilla durante 15-30 minutos, hasta que se haya secado completamente (dependerá del clima, tipo de piel, etc., no agobiarse porque se sentirá bastante tirantez del rostro, pensar que estamos teniendo un *lifting* natural). Una vez que la mascarilla ha secado, debe retirarse con cuidado con una esponja empapada en agua tibia o poco caliente (nunca fría, porque hará que la arcilla se pegue más a la piel y puede llegar a enrojecerla o irritarla), en círculos suaves. El efecto purificante de la arcilla junto con el efecto *peeling* de su retirada, por lo general da como consecuencia una apariencia radiante y luminosa, además de eliminar o mejorar mucho el estado de los granos de acné.

Después de quitar la mascarilla, volver a aplicar con un *spray* el hidrolato de azahar.

Sauna facial

Para abrir los poros en casos especiales, o cuando se quiera hacer una aplicación de este tipo, podemos hacer saunas faciales con unas gotas de aceite esencial de árbol del té, lavanda, enebro, romero quim. cineol, eucalipto radiata (sugerencias). Después del tratamiento aclarar con agua tibia y pasar el *spray* con hidrolato de azahar.

Piel seca y con escamas

Este problema se debe a la falta de hidratación, típica con la edad o al exponerse a agentes externos como sol, viento y agua del mar. Conviene vigilar el aporte de nutrientes con aceites vegetales de calidad en la dieta y en abundancia, no olvidarse de beber la cantidad de agua que el cuerpo pida –agua de calidad–, y evitar en lo posible el exceso de exposición a dichos agentes. También muchos jabones, detergentes, champús, etc., contribuyen a este proceso.

La psicosis de la higiene a ultranza conlleva dejar desprotegida la piel constantemente de su film dermoprotector, si constantemente la retiramos y no se protege (por ejemplo, con aceites vegetales), al cabo de pocos años sufre este tipo de problemas también, aunque no se haya expuesto a agentes externos. Seguramente los contaminantes presentes en la atmósfera y los alimentos ayudan a ese proceso degenerativo, pero estamos todos en el mismo barco y aquí no vale bajarse de el, así que tenemos que intentar estar mejor con lo que tengamos a mano. Me parece muy bien el uso de cremas, pero personalmente creo que los aceites vegetales son superiores en todos los sentidos, así que en esta obra solo voy a recomendar que usen aceites vegetales para proteger la piel.

Miren, hay dos aceites esenciales geniales para este tipo de pieles. Son el de rosa damascena y el de azahar. Les aseguro que no los menciono por su precio y por afán de venderlos, sino porque en mi experiencia profesional, es lo mejor que he probado. Claro está que tienen que ser, primero, aceites esenciales de esas plantas, y segundo, puros, hay demasiadas esencias artificiales en el mercado con esos nombres, que pueden oler incluso mejor, pero que en resultados no les llegan a las suelas de los zapatos. Pueden hacerse sus propios preparados, en forma de aceite o crema natural, e ir probando durante 4 semanas una, una semana de descanso, cuatro semanas la otra, una semana de descanso. A ver qué pasa.

Tratamiento de rosa damascena (aceite)

> *Cera virgen de abejas: 7 g*
> *Aceite de onagra: 35 ml*
> *Aceite de rosa mosqueta: 60 ml*
> *Hidrolato de rosas: 30 ml*
> *Aceite esencial de rosa damascena: 5 gotas*

La crema se prepara calentando al baño maría todos los ingredientes, salvo el hidrolato y el agua de rosas. Más o menos la cera derrite a 70 °C, en el momento en que esté totalmente líquida, se mezcla bien con los aceites y se retira del fuego. Mientras, en otro recipiente, se habrá calentado el hidrolato de rosas a la misma temperatura. En un robot o batidora eléctrica, se añadirá poco a poco el aceite sobre el agua caliente, sin dejar de agitar. A medida que vaya enfriando, se irá convirtiendo en una crema con todas las de la ley. Cuando la crema esté homogénea (no cuando esté líquida, porque por encima de 40 °C se nos va a evaporar casi toda la rosa) y más bien fría (pastosa, que permita todavía incorporar líquidos), añadiremos las 5 gotas de rosa damascena.

Una vez todo bien mezclado y enfriado, puede envasarse en tarros de vidrio bien limpios (higienizados con alcohol, así como sus tapas) y guardarse en un lugar fresco y seco.

Tratamientos de azahar (crema natural)

> *Cera de abejas: 7 g*
> *Aceite de coco: 25 g*
> *Aceite de almendras dulces virgen: 70 ml*
> *Hidrolato de azahar: 35 ml*
> *Aceite esencial de azahar: 5 gotas*

Se preparan del mismo modo que la crema y aceite anteriores. En el caso del aceite, el de coco en invierno solidifica, así que habrá que darle

un ligero golpe de calor al baño maría para mezclarlo con los demás.

Mascarilla casera de aguacate y miel

Para este tipo de piel, muy agradable de emplear.

Machacar finamente la pulpa de 2 aguacates y mezclar con 1 cucharada de miel (líquida).

Aplicar en la cara y cuello 15-20 minutos. Debe hacerse de forma inmediata porque el aguacate se oxida enseguida. Retirar con agua tibia. Aplicar hidrolato de rosa en *spray* por todo el rostro.

Manchas en la piel

Para la pigmentación que se produce con la edad o el exceso de sol, existen dos remedios naturales magníficos. Uno tiene cierto precio y el otro es gratuito. El primero se llama ACEITE DE ROSA MOSQUETA, el segundo PACIENCIA. El aceite de rosa mosqueta, siempre y cuando sea auténtico y puro (en el momento de escribir este libro, el mercado español está inundado de calidades infames, mezclas de otros aceites, diluciones, etc., porque es un producto que se ha puesto de moda ya que si se usa bien, funciona bien) es uno de los productos naturales que actúa regenerando la piel de una manera regular y efectiva. Para ello necesitamos de la PACIENCIA porque, como en cualquier PROCESO, se requiere de un TIEMPO. Por desgracia, el consumidor actual pide productos que actúen YA y produzcan resultados visibles YA. Esto incentiva el desarrollo de activos que pueden ser muy agresivos para la piel y para la salud. El punto de equilibrio que busca la gran industria es un producto que aparentemente funcione bien y no produzca efectos secundarios indeseables inmediatos (o como se dice en política actualmente de una forma tan diabólicamente cínica para referirse a los muertos civiles en conflictos: efectos colaterales). Así es, queridas y queridos lectores, nosotros no somos seres humanos, somos potenciales efectos colaterales pero interesa que explotemos después de habernos vaciado los bolsillos.

Volviendo a la rosa mosqueta, si se aplica regularmente (2-3 veces al día) durante unos 3 meses, va despigmentando de forma natural e inocua. Al ser un aceite vegetal, podemos aplicarlo puro sobre la piel sin mayores problemas. Si se quiere potenciar su efecto, puede añadirse un 1% de aceite esencial de inmortal *(Helichrysum italicum* ssp. *serotinum)*, tengo muy buenas experiencias profesionales con estas mezclas.

Nota: En el mercado a veces se encuentra la rosa mosqueta con el nombre de «aceite esencial». Esto es falso, se trata de una errónea identificación comercial que denota el bajísimo conocimiento técnico y profesional de quienes la venden.

Labios cortados

Puede emplearse la manteca de cacao, pura, simplemente derritiéndola al baño maría y depositándola en pequeños recipientes (tarros de boca ancha) que permitan tomarla con el dedo y aplicarla en los labios. Normalmente en invierno, la dureza de la manteca de coco es alta, pero a temperatura corporal derrite (es decir, si tomas una pequeña raspadura entre tus dedos, se derretirá y la podrás aplicar). Otra manera es mezclar un 70% de manteca de cacao con un aceite vegetal, eso hará que la textura final sea mucho más untuosa. Este porcentaje es una sugerencia, depende del aceite más o menos fluido, podrá variarse.

Si se le quiere añadir algún aroma, hay que ser muy cuidadosos con las cantidades, porque los labios son zonas muy sensibles y no podemos aplicar las mismas cantidades de aceite esencial que hacemos en otro tipo de aplicaciones. Aquí bastará con pocas gotas, en lugar de un 1 o 2%

habituales. Hay que elegir un aceite esencial que nos agrade bucalmente. Sugerencias: naranja, árbol del té, rosa damascena, azahar, tomillo quim. linalol, mandarina...

Uñas débiles. Infecciones de uñas

Como reforzador de uñas (también de cabello, cejas y pestañas), existe un aceite vegetal muy modesto y poco apreciado: el aceite de ricino *(Ricinus communis)*. Es un aceite extraordinariamente denso y pegajoso, por lo que conviene mezclarlo con otros más fluidos para poderlo trabajar. La fórmula siguiente es excelente para fortalecer las uñas:

Fórmula fortalecedora de uñas (manos y pies)
> *Aceite vegetal ricino: 60%*
> *Aceite vegetal sésamo: 35%*
> *Aceite esencial limón: 5%*

Mezclar primero los aceites vegetales y una vez homogeneizados, mezclar el aceite esencial de limón. Aplicar sobre las uñas con un pincel.

A veces, se producen infecciones por hongos en las uñas, porque son lugares cerrados de difícil acceso y que son el caldo de cultivo ideal para estos organismos.

En aromaterapia podemos actuar en dos fases:

1 Aceite esencial no dermocáustico: Como el de árbol del té *(Melaleuca alternifolia* quim. terpineol-4) y especialmente el de palmarrosa *(Cymbopogon martinii)*. Se aplican puros, con bastoncillos de algodón, en las zonas afectadas e intentando que entren dentro de la uña. Tratamiento de 3 semanas (si desaparecen antes, se suspende) 2-3 veces al día.

2 Aceite esencial dermocáustico: En caso de que con los anteriores aceites esenciales no

desaparezca la infección, llamaremos a la «artillería pesada» de la aromaterapia: oréganos, tomillos de quimiotipos fenólicos, canela corteza, ajedrea... Pueden aplicarse puros con mucho cuidado, si la zona a tratar no es delicada (a veces hay personas que tienen una piel muy gruesa en los pies y dedos), en el caso de que la piel se resienta, hay que diluirlos en un aceite vegetal. Máximo al 10% en aceite de caléndula, que también es fungicida, es una buena opción. También aplicaremos durante unas 3 semanas 2-3 veces al día. Aquí habría que valorar por parte de un especialista, pero en caso de que el tratamiento funcione bien, es prudente dejar una semana de descanso y proseguir posteriormente.

Fórmula-tipo infecciones de uñas resistentes
› *Aceite vegetal de caléndula: 95%*
› *Aceite esencial de corteza de canela: 2,5%*
› *Aceite esencial de orégano: 2,5%*
Aplicar con bastoncillo de algodón y hacer que penetre dentro de la uña.

Estrías

Las estrías se producen por cambios bruscos en el volumen corporal (la piel se rompe). Son especialmente visibles en el embarazo, pero pueden encontrarse incluso en niños pequeños y en personas delgadas. A pesar de que hacerlas desaparecer no es fácil (depende mucho del tamaño y el poder regenerador del organismo de la persona), tampoco es imposible y lo seguro es que mejoran si se tratan bien. Lo ideal es la PREVENCION, así que en el caso del embarazo, es muy beneficioso para la madre aplicarse diariamente aceites vegetales en cantidad suficiente en las zonas más propensas a que aparezcan las estrías. En principio nos sirve cualquier aceite, pero hay uno que es especial-

mente indicado y potente, con gran diferencia del resto: de nuevo, el aceite de rosa mosqueta (*Rosa rubiginosa*). También el aceite de sésamo (*Sesamum indicum*) es muy bueno, porque todavía mantiene una relación calidad/precio excelente y químicamente tiene cierta similitud con el de rosa mosqueta.

Estos aceites pueden aplicarse sin mayor problema en cualquier momento del embarazo, hasta el momento, yo no tengo datos que indiquen lo contrario, la mujer embarazada por lo general se pone en contacto con productos muchísimo menos sanos en el día a día y no le pasa nada.

Si no se da el caso de estar embarazada –por ejemplo, a los hombres también nos salen estrías–, este aceite es igualmente eficaz para reducir o eliminar las estrías. Puede mezclarse con aceites esenciales que van en la dirección de la regeneración cutánea: inmortal, jara, incienso, mirra, cedro virginia, sándalo hindú...

La cantidad normalmente empleada está en torno al 2% de aceite esencial.

Escoceduras

Uno de los aceites esenciales más adecuados para bebés es el de manzanilla romana (*Anthemis nobilis*), aunque en los libros de aromaterapia generalmente se habla de la manzanilla alemana (*Matricaria chamomilla*), yo siento especial predilección por el primero. Tanto su aroma (herbal y fresco), como la sensación y energía que transmite, me llegan mucho más profundamente que el aceite esencial de manzanilla alemana, pero claro, esa es mi percepción de las cosas. En el caso que nos ocupa, podría ser adecuado el uso de una crema de base neutra y poco grasa (de lo contrario usaríamos un aceite) con una pequeña cantidad de aceite esencial de manzanilla romana y sin olvidar el aceite esencial de lavanda (*Lavandula angustifolia*), que en estos casos también es muy socorrida.

También podemos aplicar en pulverizaciones hidrolatos de rosa, lavanda y manzanilla, lo que aliviará mucho la sensación de escozor, dejaremos unos minutos y aplicaremos la crema posteriormente (vigilar que sean realmente hidrolatos, no aguas perfumadas artificiales y que no contengan cantidades muy altas de alcohol –se usa como conservante en algunos hidrolatos, una pequeña cantidad no es perjudicial porque está mezclado con mucha agua, pero en altas cantidades puede deshidratar–).

Formula crema anti-escoceduras

> *Crema base H002 (Apsara Vital) o similar: 30 g*
> *Aceite esencial de manzanilla romana: 1 gota*
> *Aceite esencial de lavanda: 2 gotas*

Entremezclar muy homogéneamente para que no queden pequeñas gotas de aceite esencial sueltas.

Aplicar con suavidad en la zona de las escoceduras. Besar mucho al bebé.

Tratamientos para el cuero cabelludo

Caspa

Aunque pueden haber muchos factores que la produzcan (trastornos nerviosos, cambios del clima, contaminantes externos, etc.), a veces simplemente es el resultado de un mal enjuague o del uso de detergentes muy irritantes para la piel.

Una buena costumbre puede ser, además del enjuague adecuado con agua suficiente, el poner en el último aclarado un poco de vinagre de manzana en el agua del aclarado (un vaso pequeño en unos 2 litros de agua). Ello permite limpiar mejor, devolverle el pH ligeramente áci-

do más rápidamente y eliminar picores, lo que a veces también provoca irritación dérmica y como consecuencia, resecamiento prematuro y escamación de la piel.

Tratamiento (cabellos normales a secos)

1 Lavar el cabello (2 veces) con un buen champú suave, adecuado para nuestro tipo de cabello, con pH ligeramente ácido (5'5 o cercano). Cuídate, que sea lo más natural posible (no pseudonatural, aunque te gastes un poco más, tu salud lo agradecerá).

2 Secar bien, con cuidado, con una toalla, los secadores del pelo son agresivos.

3 Masajear el cuero cabelludo con la mezcla anti-caspa, con cuidado y cariño, poniendo mucha atención en extenderlo bien por toda la piel especialmente, más que por el pelo.

4 Dejar una hora, cubierto por una toalla, antes de retirar la mezcla anti-caspa con otro enjuague con el champú.

5 Aclarar con vinagre de manzana (1 vasito en 2 litros de agua tibia).

Mezcla anti-caspa

> *Aceite vegetal de oliva virgen extra 1ª presión en frío (elegirlo de baja acidez): 30 ml*
> *Aceite vegetal de onagra: 5 ml*
> *Aceite esencial de manzanilla romana: 1 gota*
> *Aceite esencial de romero quim. cineol: 2 gotas*
Aplicación semanal.

Tratamiento anti-caspa (cabellos grasos)

A veces el exceso de grasa también produce irritación y crea caspa. En ocasiones he visto desaparecer problemas de caspa grasa simplemente usando un buen champú natural para corregir la grasa, eliminando de rebote la caspa.

No obstante, no siempre es así, un tratamiento-tipo sería:

1 Lavar el cabello (2 veces) con un buen champú natural anti-grasa (indicaciones del tratamiento anterior igualmente válidas).

2 Secar con cuidado con toalla.

3 Aplicar el tónico anti-caspa en las palmas de las manos con suave masaje en todo el cuero cabelludo.

4 Aquí no es necesario aclarar.
Aplicación: 3 veces a la semana.

Tónico anti-caspa

> *Hidrolato de azahar: 200 ml*
> *Vinagre de manzana: 15 ml*
> *Aceite esencial de cedro Atlas: 3 gotas*
> *Aceite esencial de romero quim. cineol: 3 gotas*

Mezclar el vinagre de manzana con los aceites esenciales y, posteriormente, con el hidrolato de azahar. Colocar en una botella (preferentemente de vidrio oscuro). Agitar bien antes de usar siempre.

Piojos

Estos molestos bichitos omnipresentes allá donde haya escolares (especialmente en la última década, es bien curioso, teóricamente a mayor higiene, más piojos...), son parásitos que se alimentan de la sangre de sus huéspedes. Las picaduras producen infección y dermatitis, pero aparte de eso, no son animalillos tan peligrosos, como por ejemplo, los mosquitos.

Contrariamente a lo que se cree, cuanto más limpio está el cabello, más fácilmente pueden moverse estas criaturas. No saltan ni vuelan, pero corren muy deprisa con sus múltiples patitas. Se reproducen con mucha rapidez y depositan unos huevos (liendres) que pegan con una especie de cemento en los pelos, a veces se acaba con los adultos, pero si los huevos no se eliminan, la infestación continúa. Los tratamientos convencionales de farmacia no se complican mucho la vida: insecticidas organofosforados. Estos productos (venenos) también son perjudiciales para el ser humano, pero ya se sabe, como ocurría con el famoso agente secreto James Bond, en la sociedad actual también hay quien tiene «licencia para matar»... Y en una gran cantidad de ocasiones, no acaban con el problema sino que el niño vuelve a infestarse a los pocos días, volviendo de nuevo al ciclo de compra en la farmacia y los piojos cada vez son más resistentes.

Afortunadamente, con muy pocos medios materiales no muy costosos y otro inmaterial gratuito (PACIENCIA), podemos hacer muy buenos tratamientos y acabar con el problema.

Los aceites esenciales no matan los piojos, pero si los ahuyentan y sobre todo, los «cabrean». Si hacemos una mezcla de aceite vegetal (con eso les impedimos correr y que se escondan, no tienen donde hacerlo) con aceite esencial (que les molestan e incomodan), podremos extraer con los peines a tal efecto, los piojos de mayor tamaño.

También salen liendres, pero muchas se quedan pegadas al pelo. Entonces, hay que lavar el pelo con un champú neutro al que también podemos añadir aceite esencial, y sobre todo **aclarar con vinagre de manzana,** un par de vasitos en 2 litros de agua. ¿Por qué? Muy sencillo. Las liendres, si están algún tiempo en contacto con el vinagre, se hinchan, de manera que podemos extraerlas con el peine más fácilmente.

El único producto natural que sí mata a los piojos, es un extraño aceite vegetal que proviene de la India, el aceite de *neem* (*Melia azerdarichata*).

Este aceite se usa incluso como insecticida en la agricultura ecológica, y carece de efectos secundarios en el ser humano, pero tiene un olor muy fuerte del tipo ajo, así que a los niños y a los mayores no suele gustarnos demasiado.

No obstante, se puede hacer una buena mezcla con una parte de *neem* y una buena cantidad de aceite esencial para modificar el olor tan pesado del mismo (quien se atreva a probarlo puro verá que los resultados son espectaculares, pero los «efectos colaterales» también).

Aceite anti-piojos

> *Cualquier aceite vegetal: 60 ml*
> *Aceite vegetal de* neem*: 40 ml*
> *Aceite esencial de árbol del té: 20 gotas*
> *Aceite esencial de cajeput: 10 gotas*
> *Aceite esencial de niaulí: 10 gotas*
> *Aceite esencial de limón: 10 gotas*

Estos aceites esenciales pueden variarse a gusto del consumidor, como digo, ninguno es insecticida y no mata a los piojos, esta es una opción personal por su relación efectividad/precio, con un olor muy medicinal.

Aplicación

Cada día, quitar diariamente tanto piojos (los días siguientes puede ser que no aparezca ninguno o muy pocos), pero sobre todo, eliminar las liendres (vigilar también la ropa, ahí quedan tanto piojos como liendres, las indicaciones higiénicas que se dan en farmacias, ambulatorios y colegios sí son válidas).

También se pueden preparar lociones perfumadas para alejarlos, sin necesidad de venenos.

Loción perfumada natural anti-piojos

> *Alcohol etílico de 70°: 100 ml (el alcohol de 70° se puede hacer de forma aproximada mezclando 1 litro de alcohol etílico de 96° con 400 ml de agua destilada)*
> *Aceite esencial de lavanda: 1 ml*
> *Aceite esencial de romero: 1 ml*
> *Aceite esencial de limón: 1 ml*
> *Aceite esencial de mandarina: 1 ml*
> *Aceite esencial de niaulí: 1 ml*

Mezclar todo muy bien y dispondrás de un agua de colonia natural a la antigua usanza que podrás emplear como repelente de estos bichos (poner en el pelo, no en la piel, y también pulverizar sobre la ropa).

Procedimiento anti-piojos aromaterapia

1 Lavado de cabeza con champú + aceite esencial.

2 Aclarado con vinagre de manzana. Esperar unos minutos.

3 Aplicación del aceite anti-piojos. Dejarlo actuar una hora, cubrir la cabeza con el típico gorro de plástico para que los piojos no salgan.

4 Con paciencia, retirar los piojos con el peine. También saldrán muchos huevos puesto que el vinagre los ha hinchado.

5 Una vez retirado lo que se pueda, se vuelve a dar un repaso con champú.

6 Antes de que el niño vaya al colegio, ponerle la loción perfumada en el pelo y en la ropa, a modo de *spray*.

7 Repetir el procedimiento diariamente hasta acabar con la infestación.

Infecciones

Herpes (*Herpes simplex*)

Fórmula para herpes simple

> *Aceite esencial de árbol del té quim. terpineol-4: 3 ml*
> *Aceite esencial de niaulí quim. cineol: 3 ml*

> Aceite vegetal de tamanu: 6 ml
> Aceite vegetal de caléndula: cantidad suficiente para 100 ml

Mezclar bien. Aplicar durante 3 semanas en la zona afectada. 1ª semana, 3 veces al día; semanas posteriores, una vez al día.

Pie de atleta

Infección por hongos en el pie, muy habitual en gimnasios y piscinas. Le perjudica mucho el aire libre y el sol, los zapatos abiertos y los calcetines de algodón. En aromaterapia solemos emplear mucho el aceite vegetal de caléndula para problemas relacionados con hongos, así que es una buena base para nuestros preparados. Hay varios aceites esenciales muy adecuados como fungicidas, los de mi preferencia son la palmarrosa y el árbol del té, por ese orden, aunque también crean buenas sinergias con ellos la lavanda, los geranios, el lemongrass, pachulí y mirra.

Aceite para el pie de atleta
> Aceite vegetal de caléndula: 25 ml
> Aceite esencial de palmarrosa: 7 gotas
> Aceite esencial de árbol del té: 5 gotas
> Aceite esencial de mirra: 2 gotas

Aplicar 2-3 veces al día.

Spray para el calzado y evitar infecciones (también puede aplicarse a las manos después de lavarlas)
> Alcohol de 70°: 100 ml
> Aceite esencial de árbol del té: 5 ml
> Aceite esencial de palmarrosa: 5 ml
> Aceite esencial de geranio: 1 ml
> Aceite esencial de lemongrass: 1 ml
> Aceite esencial de pachulí: 1 ml

Mezclar bien y poner en botella con dosificador spray. Pueden pulverizarse tanto los calcetines como el calzado, especialmente el calzado cerrado y los de tipo deportivo. Precaución con las superficies plásticas, podría dañarlas. Precaución con los ojos.

Verrugas

No se conoce exactamente cómo funcionan estas molestas y antiestéticas acompañantes nuestras, pero lo que sí se ha constatado es que en muchas ocasiones son de origen vírico. Aquí funcionan bien los aceites esenciales antisépticos y viricidas. Se ha hecho muy popular el empleo de árbol del té para verrugas, pero en mi experiencia he visto que no siempre se comporta de manera suficiente para eliminarlas. Es una buena opción de comienzo porque es suave y gentil con la piel, pero si se ve que no funciona (aplicaciones directas con el aceite esencial puro varias veces al día) en un par de semanas, hay que pasar a tratamientos más contundentes. El remedio homeopático Thuja (5 o 6 CH) es bastante bueno como complemento en el tratamiento.

Fórmula para verrugas resistentes
> Aceite esencial de ajedrea quim. carvacrol: 1 ml
> Aceite esencial canela corteza: 1 ml

Si no tenemos estos aceites esenciales, podemos hacer mezclas con alguno del tipo fenólico: tomillos, oréganos, etc., siempre que sean ricos en fenol, timol, carvacrol...

Aplicar en la verruga con un algodón y prudencia. Esta fórmula es dermocáustica, por lo que actuará quemando la verruga (por supuesto, no lo es tanto como los ácidos que se emplean en podología o dermatología).

Aplicar entre 2 y 4 veces al día un mínimo de 5 días y un máximo de 10.

Eczemas

Junto a los eczemas solemos encontrar situaciones de bajada de defensas inmunitarias. Parecen estar asociados a asma, fiebre y migrañas hereditarias, así como a intolerancias alimentarias. La dermatitis de contacto es muy habitual por el contacto repetido con productos químicos industriales o domésticos, perfumes, detergentes, y en algunos casos podrían producirse incluso por aceite esencial, aunque mi experiencia es más cercana a casos con productos adulterados, reconstituidos o vendidos como naturales sin serlo, que con aceites esenciales auténticos y puros.

Las fórmulas que se muestran a continuación son paliativas, conviene realizar un tratamiento más en profundidad para obtener éxito y revertir el problema (medicina aromática, naturopatía, homeopatía, acupuntura, etc.). La inclusión en la dieta de aceite de onagra parece favorecer bastante estos procesos. En algunas ocasiones, los eczemas no reaccionan muy bien ante los aceites vegetales, porque les producen mayor calor, hay que ser cuidadosos y valorar cada caso.

Fórmula para eczemas secos 1

> *Gel de áloe vera (sin aromas): 50 ml*
> *Tintura de caléndula (*Caléndula officinalis*):*
>   *12 gotas*

Mezclar bien ambos componentes, poner en botella de vidrio y aplicar 2-3 veces al día en las zonas afectadas.

En caso de no encontrar mejoría, probar con esta otra fórmula, mucho más potente:

Fórmula para eczemas secos 2

> *Aceite esencial de lavanda: 0,5 ml*
> *Aceite esencial de palmarrosa: 0,5 ml*
> *Aceite vegetal de tamanu: 10 ml*
> *Aceite vegetal de rosa mosqueta ecológica: 30 ml*

Mezclar bien y aplicar 3-4 veces al día, siguiendo su evolución hasta encontrar mejoría.

Fórmula para eczemas purulentos

> *Agua mineral o agua hervida: 250 ml*
> *Tintura de caléndula: 25 gotas*

Una vez el agua haya bajado de temperatura, mezclar ambos componentes y con un trozo de gasa de algodón bien limpio, empaparlo y aplicar una compresa en la zona afectada durante 15 minutos.

Primeros auxilios

Quemaduras solares pequeñas

Un remedio muy efectivo para las quemaduras solares es aplicar la hoja del áloe vera, cortada por la mitad en sentido horizontal y poniendo la pulpa en contacto con la herida.

En el caso de no disponer de áloe vera natural, puede emplearse gel o jugo. Hay marcas que usan el nombre indistintamente, digamos que de la planta procesada se extrae el jugo. Este jugo ya tiene aplicación práctica, no es tan bueno como emplear la planta fresca, pero a veces no hay más opciones. Después, si el jugo (que tiene consistencia acuosa), se quiere hacer denso, necesita de algún tipo de **gelificante** que le dé más consistencia. A esto también se le podría llamar, con mayor propiedad, gel, pero en el mercado encontrarás con los dos nombres mezclados las dos cosas. Lo importante es que contenga áloe vera en cantidad suficiente para funcionar bien.

Para las quemaduras podemos aplicarlo con compresas, pero es mejor llenar una botella de *spray* y aplicarlo sobre la quemadura solar de esta forma. En estos casos, el uso de aceites vegetales como vehículos suele producir mayor sensación de calor y exacerbar los síntomas, es mejor emplear bases como el jugo/gel de áloe vera o geles neutros acuosos.

Baño refrescante/calmante

> *Vinagre de manzana: 250 ml*
> *Aceite esencial de lavanda: 3 gotas*
> *Aceite esencial de manzanilla romana: 2 gotas*

Mezclar bien los aceites esenciales con el vinagre de manzana. Añadir a la bañera (con el agua fría, pero que sea confortable para la persona) y dispersar. Tomar un baño de unos 15 minutos y aplicar el gel refrescante.

Gel refrescante

> *Jugo/gel áloe vera: 50 ml*
> *Aceite esencial de romero quim. cineol: 1 gota*

> *Aceite esencial de lavanda: 2 gotas*
> *Aceite esencial de árbol del té quim.*
>   *terpineol-4: 1 gota*

Este es un preparado de uso corporal. Para hacer uno de uso facial, reducir los aceites esenciales a la mitad.

Advertencia: Las quemaduras solares graves o muy extensas requerirán asistencia médica, por favor, usen el sentido común.

Pequeñas quemaduras domésticas

Es aconsejable dejarlas durante 10 minutos bajo el chorro de agua fría para calmar el dolor. Después puede aplicarse directamente el aceite esencial de lavanda (*Lavandula angustifolia*) y repetir las aplicaciones de aceite esencial cada 30 minutos o 1 hora hasta notar mejoría. Otro aceite esencial muy empleado de forma directa en las quemaduras puede ser el de espliego (*Lavandula latifolia*).

Sobre todo es muy importante no reventar las pequeñas vesículas que suelen aparecer para evitar infecciones; ya se curarán.

Esto se hace en quemaduras muy pequeñas, pero cuando son mayores (sin llegar a ser peligrosas, entendemos que son quemaduras normales de cocina, etc.), pueden usarse alguna de las fórmulas siguientes:

Aceite regenerador para quemaduras

> *Aceite vegetal de caléndula: 20 ml*
> *Aceite vegetal de hipérico: 20 ml*
> *Aceite esencial de Lavanda: 4 gotas*

Mezclar bien y aplicar 2-3 veces al día.

Crema para quemaduras

En los casos en que la aplicación de aceite produzca mucho calor o sensación desagradable.

> *Crema neutra acuosa sin perfumes (tipo HOO2 Apsara Vital): 25 g*
> *Aceite esencial de incienso: 3 gotas*
> *Aceite esencial de romero quim. verbenona: 5 gotas*

> *Aceite esencial de lavanda: 5 gotas*

Mezclar muy bien todos los ingredientes y aplicar 2-3 veces al día.

Compresas frías para quemaduras

> *Agua fría: 300 ml*
> *Aceite esencial de Manzanilla romana: 4 gotas*

Poner en un cuenco el agua fría y añadir el aceite esencial. Aunque no se mezclan, al agitar el agua se dispersa momentáneamente el aceite esencial. Con una gasa de algodón limpia, empapar y escurrir, aplicando en la zona afectada. Ir cambiando a medida que se nota que la gasa se calienta y repetir varias veces durante las horas siguientes a la quemadura hasta notar alivio (dolor, inflamación).

Contusiones

Las contusiones y los golpes producen roturas de los capilares y zonas descoloridas y moradas. Generalmente, si son de poca importancia, podemos tratarlas en casa, pero a veces, por su posible gravedad, hay que consultar al médico.

En casos más benignos, tenemos aceites esenciales muy potentes para reabsorber hematomas y mejorar el estado de la zona, como el de inmortal (también llamado siempreviva) *Helichrysum italicum* ssp. *Serotinum*. Las personas que suelen tener este tipo de situaciones con más frecuencia que otras, pueden reforzar su ingesta de vitamina C (1.000 mg/día).

Fórmula anti-hematomas

> *Aceite esencial de inmortal: 5 ml*
> *Aceite vegetal de tamanu: 10 ml*

Mezclar bien y aplicar de 4 a 6 veces al día durante 3 o 4 días, según la evolución. También puede aplicarse en hematomas antiguos.

Compresa fría para reducir la contusión

> *Agua fría: 600 ml*
> *Aceite esencial de mejorana francesa: 3 gotas*

> *Aceite esencial de manzanilla romana: 4 gotas*

Poner en un cuenco el agua fría y añadir el aceite esencial. Aunque no se mezclan, al agitar el agua se dispersa momentáneamente el aceite esencial. Con una gasa de algodón limpia, empapar y escurrir, aplicando en la zona afectada. Ir cambiando a medida que se nota que la gasa se calienta y repetir varias veces durante las horas siguientes hasta notar alivio (dolor, inflamación).

Crema para contusiones

> *Crema neutra acuosa sin perfumes (Tipo H002 Apsara Vital: 25 g*
> *Tintura de caléndula: 5 ml*
> *Aceite esencial de inmortal: 2 gotas*
> *Aceite esencial de manzanilla romana: 2 gotas*
> *Aceite esencial de lavanda: 4 gotas*

Mezclar todo muy bien y aplicar 2-3 veces/día.

Cicatrización difícil y queloides

Estas fórmulas tienen un muy potente efecto cicatrizante, pueden emplearse tanto en cicatrices recientes como antiguas y también en cicatrices retráctiles (queloides). El aceite vegetal de rosa mosqueta puro y no adulterado es básico en este tipo de tratamientos y por sí mismo ya tiene un potente efecto regenerador, pero al potenciarlo con aceite esencial sinérgicamente, conseguiremos mejores y más rápidos resultados.

Aceite cicatrizante facial

> *Aceite vegetal de rosa mosqueta virgen: 30 ml*
> *Aceite vegetal de avellana virgen: 30 ml*
> *Aceite esencial de inmortal: 1 ml*
> *Aceite esencial de salvia oficinal: 1 ml*

Mezclar bien y aplicar cuidadosamente 2 veces al día durante 10 días, para casos antiguos mantener el tratamiento de 3 a 6 meses, haciendo descansos, es decir, tres semanas de tratamiento y una de descanso.

Aceite cicatrizante corporal

> *Aceite vegetal de rosa mosqueta virgen: 50 ml*
> *Aceite vegetal de avellana virgen: 50 ml*
> *Aceite esencial de salvia oficinal: 7 ml*
> *Aceite esencial de romero quim. verbenona: 3 ml*

Mezclar bien y aplicar cuidadosamente en las zonas afectadas. Las mismas indicaciones que en la fórmula anterior.

Picaduras de insectos

Tenemos dos tipos de picaduras: las de parásitos que se alimentan de nuestra sangre (mosquitos, pulgas, garrapatas) y las de insectos que se sienten atacados (avispas, abejas, hormigas). Para los primeros, la estrategia consiste en cambiar el olor que les atrae, es decir, el olor que exhalamos. Se ha comprobado que a los mosquitos no les gusta el olor de la vitamina B, así que tomando un complejo de esta vitamina, en unos 50 mg diarios, tal vez consigamos eliminar este problema. Hay olores que tampoco soportan (ajo, citronela, *neem*), pero trabajar con aceite esencial de ajo es sumamente desagradable. El aceite esencial de citronela se emplea hasta en velas e insecticidas, por ser un aceite esencial muy abundante y barato, puede usarse en quemadores y lociones que nos preparemos para disuadir a los mosquitos. El neem es excelente, pero tiene ese aroma que recuerda a la fritura de ajos.

Después, hay que calmar el dolor y la inflamación. Como suelen ser picaduras puntuales y pequeñas, podemos emplear aceite essencial de menta piperita como calmante del dolor o aceite esencial de lavanda, puros, una gotita aplicada con un bastoncillo de algodón.

En el caso de picaduras por insectos, hay que tener en cuenta que las abejas dejan clavado un aguijón que hay que extraer con pinzas, y que las avispas pueden picar o morder sin aguijón, pero que duele del mismo modo. En estos casos, también, lo que se necesita es una actuación rápida para calmar el dolor y la inflamación, pudiendo usar de nuevo aceites esenciales de menta piperita y lavanda. Si aplicamos una compresa con un ácido suave (vinagre de manzana o zumo de limón), neutralizaremos el pH alcalino de las picaduras de avispa. En cambio, las picaduras de abeja y hormiga son ácidas, así que un poco de bicarbonato disuelto en agua y aplicado en compresas beneficia la situación. A las mezclas para compresas podemos añadirles algunas gotas de aceite esencial de árbol del té y lavanda como antiinfecciosos.

Importante: Algunas personas pueden ser afectadas muy seriamente por las picaduras de abejas y avispas, pudiendo llegar a asfixiarse, en caso de observarse dificultades respiratorias, buscar ayuda médica urgente.

Cortes y rasguños leves

Es importante lavar la herida con agua y jabón para retirar restos que pudieran infectarse posteriormente. Las heridas producidas por hierro oxidado, cercas metálicas, mordeduras de animales o en contacto con el suelo pueden producir tétanos. Normalmente, la gente se vacuna en estos casos, y mucha gente sigue un programa de vacunación. Para quienes no están de acuerdo con el uso y abuso de vacunas, antiguamente se empleaba con los soldados la tintura de hipérico (dos cucharaditas de tintura en una taza de té, en una gasa empapada alrededor de la herida) como preventivo del tétanos.

Las heridas y rasguños leves se tratan con aceite esencial de lavanda o de árbol del té, y pueden complementarse con los siguientes tratamientos.

Compresas aromáticas para cortes y rasguños
> *Agua fría: 600 ml*
> *Aceite esencial de árbol del té: 2 gotas*
> *Aceite esencial de limón: 2 gotas*
> *Aceite esencial de lavanda: 2 gotas*

Poner en un cuenco el agua fría y añadir el aceite esencial. Aunque no se mezclan, al agitar el agua se dispersa momentáneamente el aceite esencial

Con una gasa de algodón limpia, empapar y escurrir, aplicando en la zona afectada. Aplicar durante unos 10 min. Envolver en plástico de cocina para mantener la presión y el contacto con la piel.

Crema antiséptica
> *Crema neutra acuosa sin perfumes (Tipo H002 Apsara Vital: 25 g*
> *Tintura de caléndula: 5 ml*
> *Tintura de hipérico: 5 ml*
> *Aceite esencial de árbol del té: 6 gotas*
> *Aceite esencial de incienso: 2 gotas*
> *Aceite esencial de mirra: 2 gotas*

Aplicar 2-3 veces al día el tiempo necesario para recuperar la herida.

La respiración es la función alimentaria más importante para el ser humano, deberíamos ser más conscientes de ello. Podemos estar sin comer un mes, sin beber varios días, pero sin respirar solo algunos minutos.

Cada vez vigilamos más lo que comemos y bebemos (tal vez porque hasta hace unas décadas no era necesario hacerlo), pero vivimos en ambientes sumamente contaminados y, además, nos sobrecargamos voluntariamente de aromas (perfumes, ambientadores, detergentes, suavizantes, etc.) sumamente agresivos y poco saludables, ya que consideramos erróneamente que, aunque esas sustancias no son buenas para comer o poner en la piel, sí lo son para respirarlas.

La aromaterapia es especialmente sensible a estas aplicaciones, ya que si algo diferencia a los aceites esenciales de otras fuentes de salud y bienestar, es el olor.

Tratamientos del aparato respiratorio y ORL

La respiración no es solo una actividad pulmonar, ya que todo el organismo respira a través de los pulmones, capturando el oxígeno y expulsando el anhídrido carbónico también a través de los miles de millones de células que consumen oxígeno constantemente para oxidar los alimentos y liberar los azúcares que dan la energía indispensable para su actividad. En la inhalación se lleva oxígeno a la sangre, en la exhalación, se expulsa el dióxido de carbono. Al aspirar el aire por la nariz, hay una serie de filamentos a modo de filtros que retienen partículas de mayor tamaño que el oxígeno (polvo), cosa que no ocurre con la boca.

Las enfermedades respiratorias afectan a las membranas mucosas (revestimientos de la nariz, senos nasales, boca, tráquea, garganta, pulmones). Los revestimientos finos de los ojos y ciertas partes del oído interno también están cubiertos por membranas mucosas. Cuando ponemos en riesgo la salud, por hábitos insalubres como dieta, problemas emocionales, tabaco, etc., somos más susceptibles de contraer infecciones bacterianas y virales.

Los tratamientos naturales buscan aliviar los síntomas, pero sobre todo, mejorar y reforzar las defensas orgánicas para que puedan hacer frente a cualquier eventualidad.

Junto con los tratamientos de aromaterapia o fitoaromaterapia, conviene realizar acciones correctivas en la nutrición, ejercicio y respiración, así como relajación en muchos casos. Por ejemplo, el yoga puede proveer de ejercicio, respiración y relajación adecuados si se aplica correctamente, pero hay más técnicas y formas que cada cual puede descubrir en función de sus afinidades.

Para mejorar la resistencia a los problemas respiratorios, es bueno eliminar o reducir de la dieta el consumo de azúcar refinado, comida-basura, lácteos –especialmente leche–, harinas blancas y sus derivados, ya que todos estos alimentos producen mucha mucosidad –sobre todo los lácteos–. Los alimentos biológicos o ecológicos, libres de residuos de pesticidas y abonos químicos, son mucho más beneficiosos para la salud que los convencionales.

Aumentar el consumo de frutas y verduras, y sobre todo de ajo, cebolla y puerro, ayuda a combatir las infecciones pulmonares. Si no le gustan «los efectos colaterales» del ajo, puede tomar píldoras, más agradables en su ingestión. También ayuda incluir en las comidas o en su preparación, especias antisépticas como la canela, tomillo, jengibre o romero, además de dar buen sabor, despejan el pecho.

Este ámbito, el de las enfermedades infecciosas pulmonares, es uno de los cuales en que mejor se desenvuelve –y más éxitos consigue– la MEDICINA AROMÁTICA FRANCESA. Pero no hay que olvidar que quienes la aplican son médicos, que tienen la preparación suficiente para realizar la intervención más adecuada, y que emplean todas las vías de aplicación, incluyendo la vía interna. Gestionar afecciones graves, como el asma, bronquitis crónica, enfisemas, requiere de supervisión médica. Igualmente, vigile circunstancias similares en bebés, niños y personas mayores, ya que un tratamiento inadecuado en un principio puede derivar en complicaciones indeseadas.

Nunca hay que perder de vista que el principal objetivo que perseguimos (al menos hablo por mí) es el bienestar de las personas, por encima de ideologías y opiniones personales, y que en esta obra pretendemos dar acceso a tratamientos suaves y efectivos para problemáticas comunes con poco riesgo para la salud.

Para finalizar, como prevención y evitación de contagios por vía aérea en lugares donde haya enfermos de este tipo, recordar que el mejor aceite esencial para usar en difusión por sus propiedades antisépticas en este sentido es el de pomelo (*Citrus paradisii*), que podemos emplear en difusores eléctricos, *sprays*, vahos.

Resfriados

Los resfriados son infecciones respiratorias de las vías superiores que afectan a las fosas nasales y la garganta. Como sabemos, los virus se van adaptando al medio, así que los medicamentos que funcionan para una cepa, lo que producen al poco tiempo es una variación o mutación y dejan de ser efectivos. Ese es el riesgo del mal uso de los antibióticos y una de las ventajas de los aceites esenciales, ya que químicamente siempre son diferentes (recordemos, productos de cosecha) y eso hace que a las cepas les resulte más difícil adaptarse a ellos que a las moléculas siempre idénticas de los antibióticos comerciales. El sistema inmunológico de los seres humanos se ve muy afectado por el estrés, por ejemplo, y la llegada del frío también lo hace más sensible a este tipo de infecciones. Como prevención, se recomienda la ingesta de 1.000 mg diarios de vitamina C. Los tratamientos que sugerimos a continuación, también ayudan a reducir síntomas y a hacer pasar el proceso del resfriado más rápidamente. Para despejar las vías respiratorias rápidamente, acordarse de inhalar unas gotas de aceite esencial de menta piperita.

Concentrado para inhalaciones en resfriados
> *Aceite esencial de eucalipto radiata (los adultos pueden usar* Eucalyptus globulus, *más barato, si quieren): 15 gotas*
> *Aceite esencial de salvia española: 15 gotas*
> *Aceite esencial de espliego: 10 gotas*
> *Aceite esencial de romero quim. cineol: 10 gotas*

Mezclar bien todos los aceites esenciales y guardar en una botella de vidrio con cuentagotas. Poner 4 gotas en un recipiente con 1,5-2 litros de agua caliente. Niños la mitad de dosis. Inhalar unos 3 minutos tapando la cabeza con una toalla unas 3 veces al día. Recordar las contraindicaciones de esta práctica en asmáticos. En estos casos, sustituir las inhalaciones por baños.

Bebida caliente para resfriados (del estilo Yogui Tea)
> *Agua: 600 ml*
> *Clavo de especia: 1 cucharadita*
> *Rama de canela, en trozos pequeños: 1/4*
> *1 cucharadita de jengibre en polvo o 2 de jengibre fresco en trozos pequeños*
> *Miel al gusto*
> *Zumo fresco de 1 limón*
> *Un toque de pimienta cayena (opcional)*

Poner todas las especias en el agua hirviendo (excepto la cayena) durante 20 minutos. Una vez hecha la infusión, añadir 3 cucharaditas de zumo de limón y un poco de cayena, endulzando con miel al gusto. Una taza 3 veces al día es excelente para sentirse mejor, con más energía y despejar las vías respiratorias.

Gripe

Esta es una infección viral, que afecta a las fosas nasales y la garganta, causando fiebre, dolor de cabeza, dolores y malestar general, congestión nasal, fatiga y depresión. Estos síntomas suelen durar 4-5 días, pero la debilidad general puede persistir semanas. Hay muchos virus distintos de gripe, van apareciendo cepas nuevas cada cierto tiempo. Las personas mayores, los bebés y niños pequeños pueden llegar a enfermar gravemente por la gripe, por lo que requieren de asistencia médica. En personas de salud normal, es un proceso benigno que se resuelve con descanso y dieta líquida (agua, zumos de frutas, infusiones, etc.). Los aceites esenciales pueden ayudar mucho o bien a prevenir la infección, o bien a resolver el proceso más rápidamente y con más energía por parte del enfermo.

En la **prevención**, la unción con cantidades importantes de aceites esenciales por todo el cuerpo, diariamente, unos meses antes de la llegada de la gripe, es una manera interesante de evitar el problema mejorando el sistema inmunitario.

Se aplican entre 15 y 30 gotas (adulto) por todo el cuerpo, diariamente, en fricciones (espalda, pecho, brazos, piernas, espalda, pies). Los aceites esenciales elegidos son: Melaleuca alternifolia quim. terpineol-4 (árbol del té), *Cinnamomum camphora* (Ravintsara), *Eucalyptus radiata*.

Ravintsara y eucalipto radiata son los mejores antigripales conocidos hasta el momento por la aromaterapia. Se pueden emplear de manera individual o mezclados entre sí a partes iguales.

En la **resolución del proceso**, la medicina aromática francesa aplica grandes cantidades de aceites esenciales por vía externa. Curiosamente, funciona mejor que por vía interna, pueden llegar a aplicarse hasta unos 10 ml al día en todo el cuerpo, muchas veces, y en la cantidad que la piel de cada cual lo acepte. Mi experiencia personal en procesos gripales es que esta aplicación permite pasar más rápidamente y con más energía el proceso, en lugar de sentirse completamente hundido y sin fuerzas. Los aceites esenciales indicados son ravintsara y eucalipto radiata. Al principio aplicamos bastantes gotas y friccionamos por todo el cuerpo, cada 30 minutos o cada hora. A medida que el proceso va pasando y nos vamos sintiendo más energéticos, podemos ir espaciando las aplicaciones. En niños podemos diluir en aceite vegetal los aceites esenciales, como precaución, siguiendo las pautas del capítulo 3.

Fórmula de concentrado para inhalaciones en gripe

> *Aceite esencial de eucalipto radiata: 10 gotas*
> *Aceite esencial de romero quim. cineol: 10 gotas*
> *Aceite esencial de cilantro: 10 gotas*
> *Aceite esencial de mejorana española: 10 gotas*
> *Aceite esencial de mandarina: 10 gotas*

Poner 4 gotas en un recipiente con 1,5-2 litros de agua caliente. Niños la mitad de dosis.

Inhalar unos 3 minutos tapando la cabeza con una toalla unas 3 veces al día.

Recordar las contraindicaciones de esta práctica en asmáticos. En estos casos, sustituir las inhalaciones por baños (8 gotas los adultos, 4 gotas los niños).

Fórmula de concentrado para vaporizaciones antisépticas del aire

> *Aceite esencial de pomelo: 10 gotas*
> *Aceite esencial de limón: 10 gotas*

Esta cantidad es suficiente para un *spray* de unos 200 ml de agua. En los difusores, aplicar la cantidad según el tipo y especificaciones o gusto personal.

Tos

La tos es un intento corporal por despejar de irritantes externos los conductos de aire, así como síntoma de resfriados, gripes, bronquitis o asma.

Es importante reducir o evitar los lácteos y harinas refinadas. La bebida caliente aconsejada en resfriados es beneficiosa también para la tos.

Importante: Los episodios de tos persistente deben tratarse médicamente.

Fórmula concentrada en inhalaciones para tos

> *Aceite esencial de lavanda: 15 gotas*
> *Aceite esencial de romero quim. verbenona: 10 gotas*
> *Aceite esencial de incienso: 10 gotas*
> *Aceite esencial de ciprés: 10 gotas*

Poner 4 gotas en un recipiente con 1,5-2 litros de agua caliente. Niños la mitad de dosis.
Inhalar unos 3 minutos tapando la cabeza con una toalla unas 3 veces al día.
Recordar las contraindicaciones de esta práctica en asmáticos.

Gargarismos para la tos (calma la irritación de garganta)

> *Vinagre de manzana: 2 cucharaditas*
> *Aceite esencial de árbol del té: 2 gotas*
> *Agua caliente: 1 taza*
> *Miel: 1 cucharadita*

Poner el vinagre en la taza de agua caliente. Añadir el aceite esencial y endulzar con miel. Realizar gargarismos 2-3 veces al día.

Bronquitis

Esta dolencia es una inflamación de la mucosa del árbol bronquial, que puede ser aguda o crónica. Se define como tos persistente con producción de flema que dura más de 3 meses. La aguda puede ser producida como resultado de una infección después de un resfriado o gripe mal curados.
Los síntomas son tos y dolor de pecho, respiración sibilante y temperatura alta.

Nota: La medicina aromática francesa contempla tratamientos más complejos para bronquitis asmatiforme, bronquitis catarrales bacterianas, bronquitis y bronquiolitis virales, que exceden las pretensiones de esta obra.

Fórmula concentrada para inhalaciones en bronquitis

> *Aceite esencial de incienso: 15 gotas*
> *Aceite esencial de cedro Atlas: 15 gotas*
> *Aceite esencial de pino silvestre: 12 gotas*
> *Aceite esencial de mirra: 8 gotas*

Poner 4 gotas en un recipiente con 1,5-2 litros de agua caliente. Niños la mitad de dosis. Inhalar unos 3 minutos tapando la cabeza con una toalla unas 3 veces al día. Recordar las contraindicaciones de esta práctica en asmáticos. En estos casos, sustituir las inhalaciones por baños (8 gotas adultos, 4 gotas niños).

Esta fórmula puede servir también para hacer un aceite para unciones en el pecho.

Tomaremos 15 gotas de la mezcla en 25 ml de aceite vegetal En niños de más de 5 años, 7 gotas, aplicar varias veces al día en el pecho y la espalda.

Sinusitis

Este tratamiento solo es paliativo.

Concentrado para inhalaciones en sinusitis

> *Aceite esencial de eucalipto globulus: 20 gotas*
> *Aceite esencial de eucalipto radiata: 20 gotas*

Poner 4 gotas en un recipiente con 1,5-2 litros de agua caliente. Niños la mitad de dosis.
Inhalar unos 3 minutos tapando la cabeza con una toalla unas 3 veces al día. Recordar las contraindicaciones de esta práctica en asmáticos. En estos casos, sustituir las inhalaciones por baños (8 gotas adultos, 4 gotas niños).

Fiebre del heno o rinitis alérgica estacional

Se trata de alergia estacional al polen en el aire. Característica por estornudos, nariz tapada, secreción nasal, picor, ojos llorosos, sensibilidad a la luz y pesadez de cabeza.

Los tratamientos efectivos pasan por reformas dietéticas profundas y técnicas desestresantes.

Los consejos caseros que ofrecemos son paliativos de la sintomatología, pero el tratamiento completo pasa por un proceso más completo (aromatología, homeopatía, medicina tradicional china, ayurveda, etc.).

Algunos aceites esenciales funcionan mejor que otros en estos casos, pero es bueno comprobar cuál nos va mejor a nosotros en cada momento. A elegir entre abeto balsámico (*Abies balsamea*), árbol del té, eucalipto radiata, incienso, lavanda, manzanilla romana, menta piperita, rosa damascena.

Se aplican del mismo modo que mostramos en los tratamientos para la bronquitis.

Como **mezcla para inhalaciones,** nos sirve la que hemos empleado para la sinusitis.

Dolor de oídos

El dolor de oído puede producirse como infección secundaria en los niños cuando tienen infecciones virales o bacterianas de nariz o garganta.

Las infecciones recurrentes de oído requieren tratamiento médico. De igual manera, secreciones de pus o sangre requieren asistencia médica inmediata y en estos casos **está contraindicado obturar el oído (algodón impregnado de aceite, o simplemente aceite) ya que puede agravarse el estado.**

En casos normales, sin perforación del tímpano, podemos usar estos remedios.

Gotas para dolor de oído
> *Aceite vegetal de caléndula: 10 ml*
> *Aceite esencial de manzanilla romana: 1 gota*

Mezclar bien y poner con una pipeta un par de gotas dentro del oído. También se puede masajear por la zona exterior como refuerzo.

Después de las gotas, para calmar el dolor, puede prepararse una compresa en agua tibia (agradable para la persona) siguiendo fórmulas anteriores:

600 ml de agua y 4 gotas de aceite esencial de manzanilla romana.

Mezclar, impregnar la gasa de algodón, escurrir el agua sobrante y aplicar en la zona afectada varias veces.

Tratamientos para problemas circulatorios

La circulación sanguínea permite el alimento y suministro de oxígeno a las células de nuestro cuerpo para su correcto funcionamiento.

Si existen problemas circulatorios, las zonas afectadas sufrirán un descenso de la energía vital. Normalmente se considera que un adulto tiene en su «circuito» unos 6 litros de sangre. El corazón, entre otras cosas, produce la fuerza que impulsa y mueve el maravilloso fluido vital por todo el cuerpo. Junto con el corazón, un intrincado y complejo sistema de impulsos nerviosos, hormonas, etc. regula el flujo controlando las arteriolas. El corazón se alimenta de la propia sangre que pasa por sí mismo. Las arterias coronarias son su punto débil. En caso de que se estrechen por enfermedades cardiovasculares, la cantidad de sangre que pasa por el corazón se reduce, con lo que el músculo cardiaco ve reducida su capacidad a la vez, volviéndose menos eficiente y continuando con ese círculo cerrado hasta que se produce un desenlace fatal. En occidente, actualmente, la principal causa de muerte son las enfermedades cardíacas.

El masaje con aceites esenciales (los correctos, claro), es excelente para mejorar la circulación, salvo en casos de enfermedad cardíaca grave. También estimula la eliminación de desechos vía sistema linfático. Algunos problemas como artritis, celulitis, hipertensión y algunos tipos de depresión, se vinculan a drenaje linfático deficiente. Con auto-masajes y aceites esenciales podemos mejorar la circulación y el bienestar general, junto con ejercicios adecuados y frotar la piel seca con lufa o guante de crin. Por supuesto, también podemos seguir tratamientos profesionales de drenaje linfático.

Siguiendo el sentido común, **las enfermedades cardíacas y la presión arterial alta crónica deben tratarse bajo supervisión médica.**

Estos tratamientos aromáticos son para pequeños desarreglos circulatorios o que no afectan sustancialmente a la vida de la persona (celulitis).

Mala circulación

Las personas propensas a tener las extremidades frías (manos y pies), o que tienen poco tono muscular y cansancio durante todo el día, pueden beneficiarse mucho de las fricciones con aceites esenciales. Una vez al día es adecuado y recomendable. Dinamizan, mejoran la circulación, dan brillo a la piel y sensación de bienestar. Pueden realizarse con esponja, lufa o guante de crin.

Fórmula circulatoria y vigorizante
> *Aceite de oliva virgen extra de olor suave: 25 ml*
> *Aceite esencial de* lemongrass: *1 gota*
> *Aceite esencial de romero quimiotipo alcanfor: 2 gotas*
> *Aceite esencial de espliego: 2 gotas*
> *Aceite esencial de menta piperita: 1 gota*
> *Aceite esencial de jengibre: 1 gota*
Mezclar bien y aplicar en fricciones.

Varices y hemorroides

Las varices son vasos sanguíneos hinchados, generalmente aparecen en las piernas y pantorrillas. Cuando se desarrollan en el recto, se las denomina hemorroides o almorranas, pueden producir picores y sangrado. Pueden ocasionarse por múltiples causas. Las más comunes son hereditarias, periodos largos de pie, aumento de la presión abdominal en el embarazo o por levantar cargas pesadas, así como por estreñimiento crónico.

Los tratamientos de aromaterapia nos pueden servir para reducir la inflamación y el dolor, pero ante sangrados importantes o ulceraciones, debe recurrirse a los servicios médicos de urgencias.

Ungüento para varices y hemorroides

> *Manteca de karité: 30 g*
> *Aceite de hipérico: 5 ml*
> *Aceite de caléndula: 5 ml*
> *Aceite esencial de ciprés: 5 gotas*
> *Aceite esencial de lavanda: 2 gotas*

Derretir suavemente al baño maría la manteca de karité. Cuando esté líquida, añadirle los aceites de hipérico y caléndula retirando del fuego. Mezclar bien. Cuando comience a solidificar, añadir el aceite esencial de ciprés y seguir mezclando hasta conseguir una completa homogeneidad. Aplicar en las zonas afectadas 2 o 3 veces al día.

Prevención de los sabañones

Los molestos sabañones se producen por inflamación de la piel debido a su exposición a bajas temperaturas. Suelen producirse en zonas distales con menor flujo sanguíneo y más desprotegidas (nariz, orejas, dedos). La piel se inflama y pica mucho, pudiendo llegar a ulcerarse.

Más que tratarlos cuando salen, que solo será un cuidado paliativo del picor y la inflamación, interesa prevenirlos.

Hacer mucho ejercicio y masajear las zonas que pueden afectarse con preparados de aromaterapia son recursos eficaces.

Crema para prevenir sabañones

> *Crema base neutra poco grasa (tipo H002 Apsara Vital: 200 g*
> *Aceite esencial de manzanilla romana: 3 gotas*
> *Aceite esencial de mejorana francesa: 3 gotas*
> *Aceite esencial de canela corteza: 1 gota*

Mezclar bien y aplicar varias veces al día.

Baño de manos y pies

> *Agua caliente (suficientemente caliente para no quemar): 5-6 litros*
> *1 puñado de sal marina*
> *Aceite esencial de romero quimiotipo alcanfor: 2 gotas*
> *Aceite esencial de pimienta negra: 1 gota*
> *Aceite esencial de coriandro* (cilantro): 2 gotas*
> **Si no lo encuentras, es suficiente con los dos anteriores, puedes añadir una gota más de cada uno de ellos.*

Mezclar los aceites esenciales con la sal y disolver en el agua. Hacer un baño de la zona afectada mínimo 15 minutos, si es posible, dos veces al día.

Celulitis

Existe la idea de que la celulitis es simplemente grasa, incluso a nivel médico, a pesar de que se encuentra en cuerpos delgados. Entre los profesionales de la belleza y la salud, se cree que la celulitis, concretamente la famosa «piel de naranja» (hoyuelos sobre la carne de muslos, glúteos y brazos, principalmente) se produce por la acumulación de desechos de los tejidos. Bajo la epidermis y la dermis tenemos una capa de grasa. En el género femenino es más abundante que en el masculino, por eso las mujeres son más propensas a desarrollarla.

Esto tiene un sentido importante como especie, ya que ahí se acumulan reservas energéticas que el organismo puede necesitar en periodos de escasez, y son las mujeres las que están dotadas naturalmente para amamantar y criar a los hijos.

Aunque esta característica siempre fue reconocida por culturas anteriores a la nuestra (más arraigadas a la tierra y a lo esencialmente importante en la vida), el culto a la fertilidad y a la feminidad muchas veces ha sido representado en el arte mediante figuras femeninas con grandes reservas de energía.

Sin ir muy lejos, hasta los años 40-50 del siglo pasado, el prototipo de belleza femenino era generoso en sus formas. Desde mi punto de vista, hay que tener muy claro que el actual concepto de «celulitis = desarreglo o enfermedad» es totalmente cultural y desconectado de nuestra realidad como seres humanos, especialmente como mujeres. En la parte que nos toca a los hombres, la «masculinización» de lo femenino es evidente en las últimas décadas: las mujeres que se presentan como prototipos de belleza a las masas son cuerpos muy trabajados con formas más bien masculinas (angulosas, musculatura definida, actitud agresiva) y pueden llegar a ser anoréxicas carentes totalmente de atributos femeninos. Convendría, por parte de los hombres, una valoración más allá de las modas, de lo que realmente importa en una persona. Hay mujeres bellísimas, que consumen gran parte de su tiempo en amargarse la vida por quitar unos kilos que suponen les hacen menos agradables a la vista masculina. En lugar de disfrutar de nuestra corta vida, se esfuerzan en ser lo que no son, en pretender agradar por encima de su propia naturaleza.

No obstante, si no piensas como yo, y continuas queriendo «eliminar» una parte de tu naturaleza, o mejorar tu piel, la aromaterapia puede ayudarte mucho al potenciar de forma natural tanto el drenaje linfático como la circulación sanguínea, ayudando a eliminar líquidos y desechos retenidos y a mejorar el aspecto de la piel y sin efectos secundarios desagradables.

Aceite anticelulítico drenante

> *Aceite vegetal de sésamo: csp. 100%*
> *Aceite vegetal de rosa mosqueta: 20%*
> *Aceite esencial de cedro Atlas: 1%*
> *Aceite esencial de salvia oficinal: 1%*
> *Aceite esencial de mandarina verde: 1%*
> *Aceite esencial de menta piperita: 0,2%*
> *Aceite esencial de ciprés: 1%*
> *Aceite esencial de lemongrass: 0,3%*

Llevo trabajando más de 10 años con este tipo de fórmula con unos resultados excelentes en reducción de volumen. Mezclar bien y aplicar (importante) 2 veces al día. Si eres constante, verás los resultados.

Fórmula aromática para trabajar la autoestima y la autoaprobación

> *Aceite esencial de rosa damascena: 1 gota*
> *Aceite esencial de sándalo blanco: 1 gota*
> *Aceite esencial de azahar: 2 gotas*

Mezclar bien. Tomar entre las manos y concentrarse con una afirmación para trabajar la autoestima mientras se aspira el aroma. Pueden servir estas de Louise L. Hay: «El Amor Divino me protege, estoy a salvo y segura». Si tienes problemas con lo divino, esta otra: «Estoy en disposición de cambiar todos mis patrones críticos. Me amo y me apruebo». Si tienes problemas con amarte, esta: «Me centro totalmente en el amor y el júbilo de estar viva. Fluyo con la vida. Mía es la paz de la mente».

También puedes aplicar la mezcla en puntos de acupuntura, o puedes diluirla en un aceite vegetal y usarla como perfume que te acompañe y reconforte todo el día.

Tratamientos musculares y articulares

Artritis

La artritis es una enfermedad degenerativa de las articulaciones. Se basa en la inflamación o desgaste de una articulación. Puede darse tras una lesión cuya cura no terminó como debería, o por el acúmulo excesivo de ejercicio en las articulaciones. También se desconocen muchas de sus causas. Su riesgo, dependiendo de lo desenvuelta que esta se encuentre, puede ser letal, lo que llega a inmovilizar por completo la parte del cuerpo en la que se dé. En algunos casos, avanza por todo el organismo e impide una vida normal y posteriormente discapacita del movimiento en todo el cuerpo.

Puede tratarse o incluso curarse, si dicha enfermedad no está muy avanzada, con tratamientos especializados y sesiones de terapia. Hay los siguientes tipos:

Osteoartritis (artrosis)

Es una deformación producida por el desgaste de los cartílagos entre los huesos, de tal manera que estos cartílagos desaparecen provocando que se rocen los huesos unos con otros, principalmente en las extremidades. Lo que provoca dolor en las manos pies, etc.

Artritis reumatoide

Se extiende a todo el cuerpo, inflamando los cartílagos y la membrana sinovial alrededor de las uniones de los huesos, produciéndose la salida del líquido sinovial (líquido grasoso que sirve para lubricar y proteger contra el roce y desgaste de los huesos).

Síntomas

Limitación de movimientos. Hinchazón de las articulaciones. Dolor en la articulación. Temblor en extremidades, dedos... Pérdida progresiva de fuerza. Deformación de la parte del cuerpo afectada (manos, pies, etc.) incrementándose con el tiempo impidiendo a la persona moverse con libertad.

En aromaterapia, los tratamientos más efectivos pasan por el uso de masajes, baños y compresas. A continuación, dos propuestas de fórmulas-base para elaborar diferentes preparados en los tratamientos. Es interesante ir cambiando las fórmulas. Primero se aplicará la formula 1 durante un mes, aproximadamente. Una semana de descanso y después la fórmula 2. Una semana de descanso y fórmula 1 otra vez.

Fórmula 1. Dolores artritis y reuma

> *Aceite esencial de zanahoria semillas: 20 gotas*
> *Aceite esencial de coriandro: 15 gotas*
> *Aceite esencial de limón expresión: 10 gotas*
> *Aceite esencial de cedro Atlas: 15 gotas*
Mezclar bien. Envasar en botella de vidrio.

Fórmula 2. Dolores artritis y reuma

> *Aceite esencial de lavanda: 20 gotas*
> *Aceite esencial de enebro bayas: 15 gotas*
> *Aceite esencial de romero quimiotipo alcanfor: 15 gotas*
> *Aceite esencial de incienso: 10 gotas*
Mezclar bien. Envasar en botella de vidrio.

Sales para baño

Mezclar unos 200 g de sal marina con 8 gotas de la fórmula y remover. Dispersar dentro del agua caliente de la bañera y tomar un baño.

Aceite para masaje

Pondremos una media de 10 gotas de la fórmula en una botella de 20 ml con un aceite vegetal portador, en estos casos buscaremos alguno que sea afín a la dolencia a tratar (cacahuete, caléndula, sésamo, pueden ser buenos). Pueden masajearse las zonas afectadas 2 o 3 veces al día y usarlo después de los baños también.

Compresas

Cuando los tejidos están muy inflamados, el masaje produce más calor y por lo tanto, puede ocasionar molestias. En estos casos pueden aplicarse compresas de agua tibia o fría, en otros casos, también pueden aplicarse calientes. Generalmente las inflamaciones se trabajan con frías y los dolores con calientes. Más o menos emplearemos unos 600 ml de agua y aquí pondremos unas 5-6 gotas de la mezcla de aceites esenciales, empaparemos bien una compresa de algodón, quitaremos el exceso de agua y aplicaremos en la zona afectada. Se cambia la compresa cada vez que ha perdido su característica principal (si la ponemos fría, cuando se caliente, si la ponemos caliente, cuando se enfríe). Se aplican 2 o 3 veces al día.

Dolor muscular

Alcohol de masaje en la musculatura dolorida
› *Alcohol etílico de 70°: 20 ml*
› *Aceite esencial de romero quim. Alcanfor: 2 gotas*
› *Aceite esencial de mejorana francesa: 2 gotas*
› *Aceite esencial de pimienta negra: 2 gotas*
› *Aceite esencial de lavanda: 2 gotas*
› *Aceite esencial de limón: 2 gotas*
Mezclar bien y aplicar en fricciones en la zona afectada. También es un buen alcohol para preparar la musculatura antes de hacer deporte.

Aceite de masaje muscular estimulante
› *Aceite de hipérico: 20 ml*
› *Aceite de girasol ecológico: 20 ml*
› *Aceite esencial de mejorana francesa: 10 gotas*

› *Aceite esencial de coriandro: 2 gotas*
› *Aceite esencial de salvia oficinal: 4 gotas*
› *Aceite esencial de pomelo: 5 gotas*
Mezclar bien y aplicar 2-3 veces al día en masaje muscular.

Aceite de masaje muscular relajante
› *Aceite de oliva virgen extra: 30 ml*
› *Aceite esencial de manzanilla romana: 4 gotas*
› *Aceite esencial de lavanda: 4 gotas*
› *Aceite esencial de limón: 2 gotas*
Mezclar bien y aplicar 2-3 veces al día en masaje muscular.

Contracturas musculares y calambres

Fórmula descontracturante
› *Crema base tipo H002 (Apsara Vital): 50 ml (puede sustituirse por un aceite vegetal)*
› *Aceite esencial de romero quim. alcanfor: 5 ml*
› *Aceite esencial de laurel: 4 ml*
› *Aceite esencial de wintergreen: 1 ml*

Lumbago, ciática

Fórmula para calmar el dolor y la inflamación
› *Crema base tipo H002 (Apsara Vital): 50 ml (puede sustituirse por un aceite vegetal)*
› *Aceite esencial de enebro bayas: 3 ml*
› *Aceite esencial de wintergreen: 2 ml*

Codo de tenista

Aceite de masaje
› *Aceite esencial de eucalipto citriodora: 8 ml*
› *Aceite esencial de wintergreen: 1 ml*
› *Aceite esencial de limón: 1 ml*
Aplicar muchas veces al día en la zona afectada.

Tratamientos para problemas menstruales y ginecológicos

A veces me parece que la aromaterapia tiene una especial afinidad con el género femenino. De hecho, la mayor parte de las practicantes profesionales son mujeres (escuela anglosajona). Curiosamente, la aromaterapia también funciona muy bien como ayuda en el bienestar general femenino, tanto por el efecto sobre estrés y emociones, como por el contenido en fitoestrógenos de los aceites esenciales.

Algunas plantas, como el lúpulo, el hinojo o la salvia oficinal, son ricas en estas sustancias, que en fitoterapia se emplean como reguladores del ciclo menstrual y de los problemas de la menopausia.

Los fitoestrógenos también están presentes en muchos alimentos comunes, por lo que son mucho más seguros que los estrógenos sintéticos empelados en medicina alopática y pueden incorporase en la dieta de una forma natural y agradable.

Mi recomendación siempre con aromaterapia (sea este tipo de tratamientos u otros), es que las mezclas que se realicen sean AGRADABLES para la persona que vaya a usarlas, por lo que si alguno de los aromas no hace sentir bien a quien lo use, debería cambiarlo por otro con un efecto parecido. Lo importante, en muchas ocasiones, es EL CLIMA QUE SE CREA, la ENERGIA QUE SE MUEVE, y una buena energía para una persona en un momento determinado tiene mucho que ver con lo que le hace sentir muy bien y le gusta mucho, por eso la aromaterapia es una perla dentro de las terapias naturales (o complementarias, o como quiera que se les llame), ya que permite trabajar desde la EFECTIVIDAD TERAPÉUTICA pero también desde EL GUSTO Y DELEITE DE LOS SENTIDOS.

Amenorrea

El término indica «sin regla», puede llegar a ser desde escasa a desaparecer. Hay multitud de razones que pueden provocar una amenorrea disfuncional, las principales: estrés, anorexia nerviosa, pérdida de peso repentina, exceso de ejercicio, problemas de tiroides, anemia. Después, amenorreas naturales, lógicamente, se producen durante el embarazo y la lactancia.

Si se ha descartado médicamente una amenorrea disfuncional grave, los tratamientos de aromaterapia que se recomiendan a continuación pueden ser muy beneficiosos. En aquellos casos que tras un máximo de dos meses no se vea mejoría, es recomendable acudir a consulta médica.

Fórmula para amenorrea
> *Crema base neutra H002 Apsara Vital: 50 ml*
> *Aceite esencial de salvia oficinal: 3 ml*
> *Aceite esencial de salvia sclarea: 2 ml*

Mezclar bien y aplicar en masaje en bajo vientre una pequeña cantidad una vez al día hasta regular la regla (máximo 3 semanas).

Otras posibilidades: concentrado amenorrea
> *Aceite esencial de rosa damascena: 12 gotas*
> *Aceite esencial de salvia oficinal: 10 gotas*
> *Aceite esenciul de coriandro: 6 gotas*
> *Aceite esencial de cedro Virginia: 10 gotas*

Este concentrado puede servirnos para hacer baños, masajes e inhalaciones. Para baños, pueden mezclarse unas 6-7 gotas por bañera. En aceite de masaje, poner 15 gotas por botella de

30 ml, el aceite vegetal al gusto, y para inhalaciones, puede ponerse alguna gotita en un pañuelo e ir oliéndolo, así como aplicarlo en difusores y vaporizadores.

Dismenorrea

Es bastante común, estos periodos menstruales dolorosos pueden recibir cierto alivio de la aromaterapia siempre que no sean casos clínicos graves.

Fórmula dismenorrea
> *Aceite esencial de estragón:5 ml*
> *Crema base neutra H002 Apsara vital: 50 ml*
Aplicar 2 veces al día en el bajo vientre antes y durante los dolores menstruales

Menorragia

El exceso o abundancia de menstruación puede deberse a problemas de salud (trastornos hormonales, endometriosis, infecciones pélvicas, etc.), y también indica la cercanía de la menopausia.
La fórmula siguiente puede aliviar los síntomas, y es conveniente complementarla con la infusión de Salvia oficinal.

Fórmula menorragia
> *Aceite esencial de incienso: 15 gotas*
> *Aceite esencial de ciprés: 10 gotas*
> *Aceite esencial de limón: 10 gotas*
> *Aceite esencial de geranio: 10 gotas*
Esta fórmula se puede aplicar como en el caso del concentrado de amenorrea, tanto en baños, masajes como inhalaciones.
Es conveniente comenzar a aplicarla unos 10 días antes del día previsto para la menstruación.

Parto

Para facilitar el parto
> *Aceite esencial de tomillo quimiotipo geraniol: 1 ml*
> *Aceite esencial de palmarrosa: 1 ml*
Podemos usar esta mezcla en un masaje muy suave en el vientre varias veces (unas gotitas).
Y por supuesto, usar un aceite esencial o mezcla de varios que sean muy agradables para la parturienta, que le ayuden a tranquilizarse, en un difusor o vaporizador (no hace falta que esté a su lado, sobre todo que no le moleste, es suficiente con que el aroma esté presente).
Un aceite esencial excelente para ello –si gusta– es el de azahar.

Golpes de calor (menopausia)

Fórmula golpes de calor
> *Aceite esencial de ciprés: 3 ml*
> *Aceite esencial de inmortal: 3 ml*
> *Aceite vegetal de tamanu: 3 ml*
> *Crema base neutra tipo H002 Apsara vital: 50 ml*
Aplicar 2-3 veces al día en la base de la columna vertebral durante 20 días.
Repetir el proceso de ser necesario.

Para terminar

La aromaterapia es, posiblemente, la más placentera manera de emplear los aceites esenciales de plantas para sentirse bien y encontrar el equilibrio en la vida.

A pesar de ser empleada, de una u otra forma, desde siempre por el ser humano, en su forma más moderna de practicarse es muy desconocida por la sociedad moderna. No todo lo que huele o no todo lo que huele bien es aromaterapia. Se hace mal uso del concepto «aromaterapia» por parte de ciertas empresas para vender cualquier cosa con olor e imagen natural, y esto ha llevado al público no especializado a una gran confusión al respecto. Sin embargo, la aromaterapia actualmente es una de las terapias naturales con mayor futuro y con una base científica y médica muy sólidas, además de con una experiencia de miles de practicantes en todo el mundo que corroboran sus bondades.

Los aceites esenciales en los que se basa su éxito son sustancias muy potentes y concentradas que se extraen de plantas, muchas de ellas medicinales para el ser humano. Estas joyas del Reino Vegetal son extremadamente ricas en aplicaciones: el ser humano las usa para elaborar perfumes exquisitos, medicinas naturales, aromas (alimentos, bebidas, tabacos, etc.), cosméticos naturales, inciensos y sustancias aromáticas de uso espiritual o barnices y otros productos industriales.

Debido a la afinidad y estrecha relación entre los seres humanos y las plantas, algunas tienen la particularidad de beneficiarnos especialmente cuando nos encontramos mal. Ellas nos ayudan a sanar, entendiendo la sanación como algo holístico que integra cuerpo, alma y mente.

Los aceites esenciales y la aromaterapia son algunas de las formas de aplicar las plantas a nuestra vida cuando necesitamos recuperar el equilibrio perdido, cuando necesitamos sanarnos. Debido a su gran potencia (hacen falta muchos kilos de planta para obtener 1 solo kilo de aceite esencial), pueden tener resultados espectaculares y conviene saber manejarlos para evitar posibles problemas.

Este libro da las claves para ello. Desde un conocimiento muy exacto de qué son y para qué sirven los aceites esenciales más empleados, hasta sugerencias de tratamientos caseros sencillos y eficaces, pasando por las formas más usadas de aplicarlos, es un manual eminentemente práctico muy útil para adentrarse con seguridad y efectividad en el hermoso mundo de la aromaterapia. El DVD que lo acompaña muestra, de forma que a veces no puede expresarse bien por escrito, cómo elaborar y aplicar los principales vehículos (aceites, cremas, compresas, etc.), ciertos extractos (tinturas alcohólicas y extractos oleosos) y formas sencillas de masaje no profesional. Pretende ser una herramienta más para todas aquellas personas interesadas en auto-gestionar su vida y su bienestar de forma natural y placentera.

Espero haber sido de gran ayuda con esta obra, pero lo que más deseo es haber sido capaz de concienciaros y haceros llegar la necesidad de creer en la naturaleza y en lo que ella nos proporciona, sin aditivos.

Apéndices

Índice de aceites

Aceites esenciales
Abeto balsámico, 43
Abies balsamea, 43
Ajedrea, 43
Anthemis nobilis, 53
Árbol del té, 44
Azahar, 44
Bergamota, 45
Boswellia carterii, 49
Cajeput, 45
Cananga odorata, 64
Canela, 46
Cardamomo, 45
Cedro Atlas, 46
Cedro Virginia, 47
Cedrus atlantica, 46
Chamaemelum nobile, 53
Cilantro, 47
Cinnamomum zeylanicum, 46
Ciprés, 47
Ciste, 50
Cistus, 50
Cistus ladaniferus, 50
Citrus aurantifolia Swing., 52
Citrus aurantium L. ssp. bergamia, 45
Citrus aurantium var. amara, 44, 58
Citrus limon, 52
Citrus paradisii Macf., 60
Citrus reticulata blanco
 var. *mandarine*, 53
Citrus sinensis, 56
Commyphora myrrha, 55
Coriandro, 47
Coriandrum sativum, 47
Cupressus sempervirens, 47
Cymbopogon flexuosus, 51
Cymbopogon martinii, 58
Daucus carota, 65
Elettaria cardamomum, 45
Enebro, 48
Espliego, 48
Eucalipto, 48

Eucalipto radiata, 28, 49
Eucalyptus citriodora, 28
Eucalyptus globulus, 48
Eucalyptus radiata, 49
Eucalyptus radiata ssp. radiata, 28
Geranio chino, 49
Helichrysum italicum ssp. serotinum,
 30, 50
Incienso, 49
Inmortal, 30, 50
Jara, 50
Jengibre, 50
Juniperus communis, 48
Juniperus virginiana, 47
Lavanda, 29, 51
Lavandula angustifolia, 51
Lavandula angustifolia ssp.
 angustifolia, 29
Lavandula latifolia, 48
Lemongrass, 51
Lima, 52
Limón, 52
Mandarina, 53
Manzanilla romana, 53
Mejorana dulce/Francesa, 54
Mejorana española, 54
Melaleuca alternifolia quim.
 terpineol-4, 44
Melaleuca cajeputii, 45
Melaleuca quinquenervia, 57
Menta piperita, 30, 55
Mentha × piperita, 30, 55
Mirra, 55
Naranja dulce, 56
Nardo índico, 56
Nardostachys jatamansi, 56
Neroli, 44
Niaulí, 57
Olíbano, 49
Orégano, 57
Origanum compactum Bentham, 57
Origanum compactum
 quim. *carvacrol*, 30
Origanum majorana, 54
Origanum vulgare, 30

Pachulí, 58
Palmarrosa, 58
Pelargonium × asperum, 49
Petit-grain naranjo, 58
Pimienta negra, 59
Pino silvestre, 59
Pinus sylvestris, 59
Piper nigrum, 59
Pogostemon cablin, 58
Pomelo, 60
Romero, 60
Rosa damascena, 61
Rosa de Damasco, 61
Rosmarinus officinalis, 60
Salvia española, 62
Salvia lavandulifolia, 62
Salvia officinalis, 62
Salvia oficinal, 62
Salvia romana, 63
Salvia sclarea, 63
Sándalo blanco, 62
Sándalo hindú, 62
Santalum album, 62
Satureia montana, 43
Siempreviva, 30, 50
Thymus mastichina, 54
Thymus vulgaris, 63
Thymus vulgaris quim. tujanol, 31
Tomillo, 31, 63
Vetiver, 64
Vetiveria zizanoides, 64
Ylang-ylang extra, 64
Zanahoria, 65
Zingiber officinalis, 50

Aceites vegetales
Aguacate, 32
Almendras dulces, 32
Avellana, 33
Butyrospermum parkii, 35
Caléndula, 34
Calendula officinalis L., 34
Calophyllum inophyllum, 37
Cártamo, 33
Carthamus tinctorius L., 33

Coco, 33
Cocus nucifera, 33
Corylus avellana L., 33
Germen de trigo, 34
Girasol, 34
Helianthus annus L., 34
Hipérico, 34
Hypericum perforatum, 34

Jojoba/yoyoba, 35
Karité, 35
Oenothera biennis, 36
Olea europaea, 35
Oliva virgen extra, 35
Onagra-primula, 36
Persea gratissima, 32
Prunus dulcis Mill., 32

Rosa mosqueta, **36**
Rosa rubiginosa, 36
Sésamo, 37
Sesamum indicum, 37
Simmondsia sinensis, 35
Tamanu, 37
Triticum vulgare, 34

Direcciones de interés

Para aprender masaje y sus técnicas
Recomendaciones del autor por la calidad de su enseñanza:

España

> **Barcelona**
Escuela de Masaje Manual
www.dr-sagrera.com

> **Granollers**
Temps de Salut
www.tempsdesalut.com

> **Manresa**
Institut Ferlo especialistas en drenaje linfático
Tel. 938 72 87 16

> **Sabadell**
Centro Gaia (masaje hawaiano y kobido japonés, estética)
Tel. 645 177 108

> **Tarragona**
Neus Esmel
Web: www.neusesmel.com

> **Madrid**
Anuenue (ayurveda, californiano, hawaiano, kobido, estética)
www.anuenue.es

> **Alicante**
Instituto de masaje Masser Mass
Tel.: 965 214 238

> **León-Galicia**
ESTP
www.escuela-estp.es

> **Sevilla**
Hylé
www.hyleintegral.com

> **San Sebastián**
Aromaterapia Etxea
Tel.: 943 47 53 31

Otros países

> **México**
Instituto Mexicano de aromaterapia
www.institutodearomaterapia.com.mx

> **Argentina**
Dra. Mónica Diana Romero Márquez
www.monicadromero.com.ar

Proveedores de aceites esenciales y vegetales
> Laboratorio Apsara Vita
www.apsaravital.com

Terapias naturales para personas en exclusión social
> ADAMA (Asociación de alternativas, motivación y acompañamiento). Esta ONG realiza una labor social única, al llevar las alternativas a los colectivos más castigados de la sociedad.
www.adama.org.es

Tours y viajes aromáticos de alta calidad
> Robbi Zeck: Aromatours
www.aroma-tours.com
> Carme Bosch
www.carmebosch.cat

Aromaterapia para animales
> Jeannette Kok, practicante Animal-Aromatics y Animalcomunicator
E-mail: jeanessentials@gmail.com
Tel.: 606 609455

Bibliografía divulgativa

Dr. Jean Valnet. Maloine. *L'aromathérapie*. S.A. Editeur. Paris, 1990.

Christine Westwood. *Aromaterapia. Guía para su uso en el hogar.* Amberwood Publishing Ltd. Gran Bretaña, 1994.

Robert Tisserand. *El Arte de la aromaterapia.* Paidós. Barcelona 1999.

Chrissie Wilwood. *La aromaterapia en casa. Guía de elaboración de perfumes con esencias naturales.* Susaeta-Tikal. Madrid.

Chrissie Wildwood. *Manual Fácil de aromaterapia casera.* Tikal. Girona. España.

Francisco Carbonnel. *Naturalmente Esencial. Introducción a la aromaterapia.* Martorell Editor. Barcelona, 1998.

Adão Roberto da Silva. *Tudo Sobre aromaterapia.* Ed. C. Roka. Brasil.

Robbi Zeck ND. *The Blossoming Heart.* Aroma Tours. Australia, 2008. (Publicado en español por Ed. Paidotribo con el nombre *Aromaterapia para la curación*, una joya de la aromaterapia espiritual).

Enrique Sanz Bascuñana. *La Nueva aromaterapia, de la magia a la certeza científica.* Ed. Obelisco, Barcelona 1996. (Reeditado en 2003 con el título *Aromaterapia: de la magia a la certeza científica* por la misma editorial).

Enrique Sanz Bascuñana. *Aromaterapia, una terapia para el placer.* El Mundo de las Terapias. Barcelona, 2010.

Bibliografía terapéutica/científica:

P. Franchomme, Dr. D. Pénöel. *L'aromathérapie exactament.* Ed. Roger Jollois. Limoges, 2001. (La Biblia de la aromaterapia, de la que todos los aromaterapeutas actuales somos deudores).

Gabriel Mojay. *Aromaterapia para sanar el Espíritu.* Ed. Diana. México 1999.

Shirley Price-Len Price. *Aromatherapy for Healt Professionals.* Churchill Livingstone. London, 1999.

Jane Buckle. Arnold. *Clinical Aromatherapy in Nursing.* Great Britain, 1997.

Daniel Pénöel. *Medecine Aromatique, Medecine Planetaire.* Ed. Roger Jollois. Limoges, 1991.

Mónica Diana Romero Márquez. *Plantas aromáticas. Tratado de aromaterapia Científica.* Kier. Buenos Aires, 2004.

Afirmaciones

Louise L. Hay. *Usted puede sanar su vida.* Ed. Urano. Barcelona, 1993.

Es propiedad
© Esther Blanes, cesionaria de los derechos del autor Enrique Sanz Bascuñana.
www.elmundodelasterapias.com

Toda forma de reproducción, distribución, comunicación pública o transformación de esta obra solo puede ser realizada con la autorización de sus titulares, salvo la excepción prevista por la ley. Diríjase al editor si necesita fotocopiar o digitalizar algún fragmento de esta obra.

Depósito Legal: B. 24.229-2011

ISBN: 978-84-255-2004-4

© de la edición en castellano, 2011:
Editorial Hispano Europea, S. A.
Primer de Maig, 21 - Pol. Ind. Gran Via Sud
08908 L'Hospitalet - Barcelona, España
E-mail: hispanoeuropea@hispanoeuropea.com
Web: www.hispanoeuropea.com

Impreso en España
Limpergraf, S. L.
Mogoda, 29-31 (Pol. ind. Can Salvatella)
08210 Barberà del Vallès

Consulte nuestra web:
www.hispanoeuropea.com